4ᵖ

L'HERBE

DU MEME AUTEUR

LE TRICHEUR, roman, 1945, épuisé.
LA CORDE RAIDE, 1947, épuisé.
LE VENT, TENTATIVE DE RESTITUTION D'UN RÉTABLE BAROQUE, roman, 1957.
L'HERBE, roman, 1958.
LA ROUTE DES FLANDRES, roman, 1960.
LE PALACE, roman, 1962.
HISTOIRE, roman, 1967.
LA BATAILLE DE PHARSALE, roman, 1969.
LES CORPS CONDUCTEURS, roman, 1971.
TRIPTYQUE, roman, 1973.
LEÇON DE CHOSES, roman, 1975.
LES GÉORGIQUES, roman, 1981.
LA CHEVELURE DE BÉRÉNICE, 1984.

Aux Editions Skira :

ORION AVEUGLE (avec dix-neuf illustrations), coll. « Les sentiers de la création », 1970.

CLAUDE SIMON

L'HERBE

LES ÉDITIONS DE MINUIT

© 1958 by Les Éditions de Minuit
7, rue Bernard-Palissy — 75006 Paris

ISBN 2-7073-0352-6

« *Personne ne fait l'histoire, on ne la voit pas, pas plus qu'on ne voit l'herbe pousser.* »

Boris PASTERNAK.

« Mais elle n'a rien, personne, et personne ne la pleurera (et qu'est-ce que la mort sans les pleurs ?) sinon peut-être son frère, cet autre vieillard, et sans doute pas plus qu'elle ne se pleurerait elle-même, c'est-à-dire ne se permettrait de se pleurer, ne penserait qu'il est décent, qu'il est convenable de...

— Mais elle ne t'est rien.

— Non, dit Louise.

— Elle ne t'est rien.

— Non », répéta-t-elle docilement. Mais elle continuait à regarder devant elle quelque chose qu'il ne pouvait pas voir.

« Alors.

— Alors rien », dit-elle (regardant toujours, par delà les arbres, les prés, la paisible campagne de septembre, ce quelque chose qu'il ne pouvait pas voir). « Rien : elle ne s'est jamais mariée. Elle n'a peut-être jamais eu l'idée qu'elle pouvait, qu'elle avait le droit — avec ce frère de quinze ans plus jeune qu'elle et qu'elles ont élevé (elle et celle qui est déjà morte), dont elles ont réussi (à force de réfléchir au meilleur moyen de porter une robe à peu près trois fois plus de temps qu'il n'en faut pour s'user jusqu'à la trame au tissu dont elle a été primitivement faite) à faire un professeur de Faculté, ce qui, pour deux institutrices dont le père et la mère savaient tout juste lire ou peut-être même pas du tout, a sans doute dû paraître valoir la peine de renoncer à tout ce à quoi une femme peut prétendre avoir normalement droit, et quand nous nous sommes mariés, Georges et moi, elle m'a donné cette bague, elle m'a fait venir dans sa chambre (et c'est la première fois que j'ai senti cette odeur, ce parfum, exactement comme celui d'une rose desséchée ou plutôt — puisque une rose desséchée ne sent rien — celui que l'on imagine qu'elle devrait exhaler, c'est-à-dire quelque chose qui serait à la fois fait de poussière et de fraîcheur, et j'ai regardé sa table, sa coiffeuse, mais il n'y avait rien que ces quatre épingles et ce flacon d'eau de Cologne bon marché, et pourtant cela sentait comme une fleur, comme une jeune fille, comme peut sentir la chambre ou plutôt le tombeau, le sarcophage d'une toute jeune fille que l'on y aurait conservée intacte quoique prête à tomber en poussière au moindre souffle), et alors elle a fouillé dans un tiroir et elle en a sorti non pas un coffret à bijoux ni même un de ces coffrets d'acier comme on en vend chez le quincaillier à l'intention des paysans et des marchands de bestiaux qui ne veulent pas mettre leur argent à la banque, mais une boîte à biscuits ou à berlingots, en fer, toute piquetée de rouille avec, dessus, une jeune femme vêtue d'une longue robe blanche, à demi allongée sur l'herbe dans une pose à la fois langoureuse et raide, avec juste la pointe des pieds, ou plutôt des souliers, dépassant sous le dernier volant, pudiques et ridicules, et, couché près d'elle (qui dans sa main tient une même boîte sur le couvercle de laquelle sa même image se répète, comme dans ces jeux de miroir sans fin) un de ces petits chiens blancs et frisés, le tout (la dame, le caniche, la prairie) dans un cadre de fleurs et de rubans aux nœuds d'un bleu pervenche et...

— Mais...

— Non, écoute : il n'y avait naturellement pas de clef et la boîte n'était fermée que par un long cordon enroulé une vingtaine de fois autour, qu'il lui a fallu un moment pour dérouler, serrant ensuite la boîte contre elle tandis qu'elle s'escrimait avec ces mains maladroites et raides, essayant de l'ouvrir — et toujours je pouvais sentir cette odeur de jeune fille, de fleur, cherchant des yeux le globe, la couronne de mariée, cherchant, mais il n'y avait rien. Rien que cet entêtant et sans doute imaginaire parfum de fraîcheur, de virginité et de temps accumulé. Non, pas perdu : vaincu, ou plutôt surmonté, apprivoisé : non plus cet ennemi héréditaire, omniprésent et omnipotent, et que l'on regarde, terrifié, s'avancer et s'écouler avec cette impitoyable lenteur, mais un vieux compagnon de route, familier, peut-être, aussi, craint et haï autrefois, mais il y a si longtemps de cela que le souvenir des craintes et des terreurs ressemble à celui de nos paniques enfantines qui maintenant ne tirent plus de nous qu'un sourire...

Oui, je sais, ça ne va pas ensemble : une jeune fille, les effluves de jasmin, et ce corps prêt à tomber en poussière, si familier du temps qu'il semble le temps lui-même, et ces mains jaunes et décharnées — et par endroit polies comme de l'ivoire — luttant contre leur propre maladresse et la rouille de la boîte (comme si la rouille et la maladresse n'étaient qu'une seule chose, toujours la même : les années, le temps) jusqu'à ce qu'elle ait enfin réussi à l'ouvrir, fouillant alors dans son contenu non de bonbons gluants mais de boutons dépareillés, de chaînettes d'or (ou plaquées or) et de vieilles boucles de souliers en cuivre, et me la tendant enfin : pas dans une boîte, un écrin avec un nom de grand bijoutier comme celle que Georges (ou plutôt sa mère) m'avait offerte (et pas à moi en réalité, mais à eux-mêmes, se faisant un honorifique cadeau, parce que je suppose qu'il — et elle — auraient regardé comme le signe d'une déchéance que je porte au doigt quelque chose de moins de cinq cent mille francs... Et alors, même si elle le désapprouvait de m'épouser — quoiqu'elle n'en ait jamais rien dit ni laissé voir —, lui ayant donné les cinq cent mille francs nécessaires ou peut-être, pour plus de sûreté, ayant été elle-même la choisir et ne la lui ayant remise qu'à la dernière minute, avant qu'il me la passe lui-même au doigt). Pas d'écrin, donc, mais un simple bout d'ouate.

Oui, c'est celle-là. Et je suppose que je n'en tirerais pas même dix billets de mille chez un bijoutier, et pourtant je ne la vendrais pas pour le double, ni le triple, ni pour n'importe quoi. Quand je partirai, je lui (je leur : à lui et à sa mère) rendrai tous leurs bijoux ; je les mettrai en tas sur ma coiffeuse en partant, ou peut-être je les lui jetterai à la figure, non parce qu'il mérite que je les lui jette à la figure, mais parce que c'est cette sorte de geste qui aide dans ces moments-là, mais, celle-là, je dirai « Je la garde ». Parce que c'est elle qui me l'a donnée. Tu comprends ? Elle ne m'a rien demandé et elle m'a donné cette bague, elle m'a aimée, et simplement parce que j'étais la femme de Georges, et j'aurais pu être une

putain, une duchesse ou une voleuse, elle m'aurait
aimée de la même façon, et sans rien réclamer en
retour. Parce qu'elle n'a jamais rien demandé aux
autres, pas même qu'ils l'aiment, pas même la permission de les aimer, pas plus qu'elle ne s'est permis de le leur dire ou de leur manifester autrement que par la seule façon qu'elle pût imaginer,
c'est-à-dire en donnant ce qu'elle pouvait, et même ce qu'elle ne pouvait pas, s'arrangeant pour
que ce qu'elle ne pouvait pas devînt ce qu'elle
pouvait. C'est pour ça que je suis restée, que je ne
suis pas partie plus tôt. J'aurais quitté Georges
depuis longtemps, même avant de te connaître, s'il
n'y avait pas eu ça. Je ne dis même pas s'il n'y
avait pas eu « elle », je dis : s'il n'y avait pas eu
« ça ». Et maintenant elle va mourir, et alors il
n'y aura plus rien » (la voix s'arrêtant, s'interrompant brusquement, et Louise restant là, un peu
haletante, comme surprise, furieuse d'avoir tant
parlé, regardant toujours ce quelque chose que
l'autre ne pouvait pas voir — qu'il savait qu'il ne
pouvait pas voir, qu'il ne verrait pas, même s'il
se retournait, regardait à son tour par-dessus sa
propre épaule dans la direction où semblait se
trouver ce quelque chose, et au bout d'un moment
un oiseau chanta, tout près d'eux, puis, aussi brusquement, le chant — une brève série de notes
redoublées, comme une arabesque calligraphiée,

s'enroulant très vite plusieurs fois sur elle-même dans la répétition de la même boucle compliquée, puis s'échappant, s'élevant, s'étirant dans un long et péremptoire paraphe arrêté net — cessa et, de nouveau, leur parvint le vacarme lointain et discordant des moineaux se rassemblant pour la nuit dans le bosquet de bambous).

Jusqu'à ce qu'il fît tout à fait noir, ils restèrent là, debout (à un moment, il se rapprocha, fit un geste, et elle imagina leurs silhouettes obscures se confondant, puis, un peu plus tard — comme s'il lui avait fallu ce temps pour se rendre compte qu'il la touchait, prendre conscience des mains sur elle — elle dit : « Non, laisse-moi », la voix à la fois dure, morne, absente, et alors la plus grande des deux ombres recula, et entre eux deux de nouveau le ciel comme une plaque de verre striée en tous sens par les traits noirs des branches tandis que de nouveau la voix s'élevait — et toujours cette dureté, cette absence — Louise frappant rageusement du poing dans sa paume ouverte, disant dans le noir avec une sorte de véhémence, d'impuissant désespoir : « Il m'avait promis que nous partirions d'ici. Il m'avait promis que nous irions nous installer à Pau et qu'il... », n'achevant pas, continuant seulement à frapper sa paume ouverte, n'attendant visiblement pas de réponse, puis cessant même de frapper) jusqu'à ce qu'il leur fût impossible de distinguer leurs visages, leurs yeux, tous les deux cachés dans l'épaisse et verte obscurité sous les branches immobiles, l'auto cachée plus loin derrière les grands arbres un peu après le tournant (mais impossible de se cacher quand ils traversaient le petit jardin ratissé, foulant les graviers entre les tables ripolinées de blanc, les parasols rouge et blanc repliés, les deux petites filles à demi couchées dans les fauteuils, leurs coudes nus sur les accoudoirs trop hauts pour elles, balançant leurs jambes pendantes, les regardant passer, les suivant de leurs yeux fourbes, leur mère ne levant pas les yeux, elle, de son tricot, ce qui était une façon pire, plus gênante encore de les regarder, et quelquefois, quand ils redescendaient, cinq ou six de ces types à gros ventres déjà congestionnés avant de commencer à manger la terrine, les truites, la spécialité de l'hôtel caché, rendez-vous seulement de quelques Parisiens en vacances, et les gros types interchangeables et congestionnés d'une classe sociale indéfinissable, tous entre cinquante et soixante ans, amicales, congrès ou dîners d'affaires, un ou deux près de la fontaine dans l'entrée lavant ou essuyant leurs grasses mains rougeaudes, avec une bague ou une alliance en or, les regardant descendre l'escalier, détournant aussitôt les yeux, mais pas si vite qu'ils n'aient vu, se mettant tout à coup à parler plus fort ou faisant semblant d'examiner les gravures, les vieilles assiettes décorant le vestibule, l'escalier, les murs, les chambres peuplées de l'invisible, innombrable et inapaisable cohorte des pâles fantômes bovaryens), jusqu'à ce que, du bosquet de bambous, maintenant silencieux et noir lui aussi, ne leur parvînt plus aucun bruit — ni piaillement, ni battement d'ailes, ni murmure, ni même frôlement —, tout, autour d'eux, complètement immobile à présent, ou plutôt tapi, c'est-à-dire le monde (choses, animaux, gens) non pas s'arrêtant, s'interrompant de vivre, mais poursuivant son existence compliquée, inquiétante et incompréhensible sous cette forme rassurante et perfide de l'apparente immobilité. Comme, un peu plus tôt, le chat : il ne détalait pas, restant là, sur la crête du mur écroulé, à la fixer, ramassé sur lui-même, parfaitement immobile (seulement une tache, une forme rayée, tigrée, parmi l'éblouissante bigarrure des ombres hachurées du jardin, là où l'instant d'avant il y avait eu ce bond roux, la fulgurante matérialisation non d'un corps, d'un animal, mais de l'idée même de mouvement, dans la déchirure de soleil, puis plus rien), comme s'il pouvait passer sans transition du mouvement à l'immobilité ou plutôt comme si l'immobilité était en quelque sorte le prolongement du mouvement ou, mieux encore, le mouvement lui-même éternisé : capable sans doute de cela (transformer la vitesse même en sa représentation immobile) n'importe quand : au milieu d'un saut, d'une chute, en l'air, ne reposant sur rien d'autre que sur le temps pour ainsi dire solidifié, l'après-midi solidifiée de l'été dans laquelle baignait comme dans une sorte de formol l'exubérante et sauvage végétation de ronces et d'hélianthes, et lui aussi, sauvage, froid, circonspect, se tenant dans cette posture semblable à une foudroyante condensation de la vitesse (exactement comme une cartouche de dynamite renferme un million de fois son volume de bruit et de destruction), pétrifié, la fixant, l'épiant à travers ces deux étroites fentes verticales, ces pupilles en forme de lentilles qu'ont les chats, aiguës, acérées, et qui semblent être comme une sorte d'arme, des griffes supplémentaires, aiguisées, sans doute capables aussi de déchirer et de lacérer mais qui, pour le moment, se contentaient de l'épier, le regard circonspect, cruel, vigilant et couard ne la quittant pas, et elle se tenant là, debout, immobile, dans sa robe claire, comme s'ils s'affrontaient tous deux, comme deux coupables, deux voleurs tombés nez à nez, l'un en face de l'autre, ou plutôt un voleur rencontrant à l'improviste sa propre image dans un miroir : l'intrusion soudaine d'une conscience (pas d'hostilité a priori, pas de sympathie non plus : seulement l'expectative, la méfiance, peur et agressivité coexistant dans le même moment) parmi l'inconsciente et folle végétation des hélianthes, leurs longues tiges s'entrecroisant, se bousculant, s'emmêlant, se détachant en clair sur le fond noir du fourré de ronces dans le bourdonnement des insectes.

D'ici, au moins, on pouvait ne plus entendre. A travers les arbres on pouvait encore voir la maison sur le haut de la colline et, sur la gauche, la fenêtre aux volets tirés derrière laquelle la vieille femme était en train de mourir, immobile dans son lit solitaire, le drap tiré jusqu'au menton s'abaissant et se relevant au rythme régulier de ce râle continu, paisible et formidable qui s'échappait d'elle, semblait la respiration monstrueuse de quelque géant, de quelque créature mythologique et facétieuse qui aurait élu domicile dans ce corps débile d'agonisante pour faire entendre, comme les trompettes du Jugement Dernier, ce lent et interminable halètement de forge, — en train de mourir, occupée à mourir, concentrée (solitaire, hautaine et terrible) avec application sur l'action de mourir, dans la pénombre de la chambre où la poudroyante lumière de l'été ne pénétrait que par la fente entre les deux volets rabattus : un T dont la branche supérieure en forme de mince triangle renversé correspondait à l'intervalle entre le haut des volets et l'encadrement de la fenêtre et qui se déplaçait lentement de droite à gauche, distendu, trapu vers midi, puis de nouveau étiré en diagonale, entre le matin et le soir : comme l'initiale même du mot Temps, une lettre impalpable et têtue se traînant dans l'odeur moribonde, le fade et moribond parfum en suspension : celui de l'eau de Cologne bon marché dont la garde l'inondait, et cette insaisissable, désuète et cendreuse odeur de bouquets flétris qui semble flotter en permanence dans les chambres des vieilles dames autour des miroirs où se reflètent leurs visages usés, comme l'exhalaison discrète, fragile et un peu rance des jours fanés...

« Mais ce n'est qu'une vieille femme qui meurt, dit Louise. Rien d'autre... ». Toujours debout, l'herbe, les minces langues d'herbe le long de ses jambes nues mollement balancées, non pas la brise mais l'air tiède en paresseux remous, les hautes graminées, leurs têtes arachnéennes oscillant, flexibles, léchant ses chevilles, les multiples et vertes langues de la terre, et autour d'elle cette molle vibration de chaleur s'apaisant par degrés, les contours des choses ondulant à la façon d'algues, toutes les feuilles des trembles frémissant sans trêve, oscillant, palpitant, le train de sept heures débouchant de derrière la colline, ponctuel lui aussi comme le chat, faisant gronder le pont de fer, puis disparaissant derrière le bouquet d'arbres de l'autre côté de la rivière, le bruit disparaissant, aussi englouti, tandis que le frémissement des milliers de feuilles semblait multiplier le silence, papillotant, pointillant la masse des arbres, la lumière se fractionnant en une infinité de particules miroitantes présentant alternativement leurs deux faces vert et argent, clignotant, puis train et bruit ressurgirent tout proches tandis qu'il glissait maintenant, jouet miniature, sur la portion de terrain découvert, avec la suite de ses vieux wagons verdâtres si près qu'on pouvait entendre le choc régulier des roues aux cassures des rails, voir dans l'encadrement des glaces des bustes de personnages comme découpés dans du papier et collés sur les vitres, et à peine eut-il disparu que les freins commencèrent à grincer, un son long et criard, de plus en plus aigu, s'exaspérant, se bloquant, puis plus rien, le train arrêté maintenant dans la gare cachée par les arbres, la voix de l'employé criant le nom de la station, toutes les portières des wagons maintenant ouvertes ballant dans la lumière déclinante, l'aveuglant soleil bas, les voyageurs sautant à terre, la plupart portant une simple serviette ou une mallette, les habitués, les mêmes qui l'avaient pris en sens inverse douze heures plus tôt, leurs mêmes ombres échassières s'allongeant démesurément sur le quai mais en direction exactement contraire, et tout au bout le chariot avec les sacs de la banque, comme chaque jeudi, et les deux gendarmes nonchalants, leurs inutiles mitraillettes sous le bras, discutant avec le chef de train tandis qu'on jette les sacs dans le fourgon, les insectes, les points lumineux dorés poursuivant leur ronde devant le fond d'ombre épaisse du taillis de ronces, l'une d'elles projetée dans la lumière, dessinant un S gris-mauve bardé de pointes, descendant du faîte du mur un peu avant l'éboulis où se tient toujours le chat, les insectes tournoyant toujours, entremêlant l'imprévisible dessin de leur vol, l'imprévisible écheveau aux imprévisibles et brusques changements de direction, errance à trois dimensions, comme forcés à voler sans but, sans trêve, autour d'un invisible épicentre, ils continueront comme ça, s'en fichant pas mal, dans le soleil de plus en plus bas, s'en fichant pas mal, et encore après qu'il aura disparu, se détachant plus tard gris, impalpables sur le ciel verdissant puis roux du crépuscule, au-dessus de buissons de plus en plus noirs, se fichant pas mal de quoi que ce soit d'autre que tournoyer en nuage de plus en plus indistinct comme si quelque tourment les forçait ainsi à errer sur place, mais ce n'est pas vrai, pensa-t-elle, pas plus qu'aucune pensée ne fait se mouvoir cette main allant et venant sans trêve sur le drap, comme si les membres reprenaient ou plutôt prenaient leur revan-

che, leur indépendance, maintenant qu'ils savent
qu'elle n'en a plus pour longtemps à exister, ne
peut déjà plus les commander, la main semblable
à une de ces pattes de poulet, jaune et ridée, les
jointures des doigts comme des boules allant et
venant sans cesse sur le drap blanc qu'elle lisse,
le pinçant imperceptiblement entre le pouce et le
majeur comme pour défaire des plis imaginaires,
poursuivant sa vie de main, ignorant le râle, le visage parcheminé se desséchant peu à peu, prenant
jour après jour cet aspect majestueux et hors du
temps de chose s'affinant, s'épurant, se momifiant,
perdant progressivement son caractère vulnérable
de chair fragile et molle pour devenir semblable à
du carton, un impassible masque de carton jouant
sans doute un rôle double, comme ceux qu'on em-
ployait dans l'antiquité pour non seulement porter
au loin les voix des acteurs, mais leur conférer cette
impersonnalité, cette inhumanité abstraite, incarnant non pas des hommes et des femmes en proie
à des passions, à la fatalité, mais les passions, la
fatalité elles-mêmes, les rites immuables de la
mort, l'immuable et irréversible acheminement
vers la mort qui constitue la trame même de toute
tragédie, de toute vie, quels qu'en soient les épisodes glorieux, burlesques ou monotones, commen-
tés à travers les actes grandioses et dérisoires des
héros, des rois, des reines incestueuses, par les

voix déformées, cyclopéennes, mais d'ici, Dieu merci, on ne l'entendait plus, seulement le silencieux, rafraîchissant et continu frémissement des trembles, et maintenant le bruit des portières claquées à la volée (l'employé courant le long des wagons, les deux gendarmes trop gras et leurs ridicules mitraillettes gagnant les derniers, derrière les derniers voyageurs, le portillon de la sortie, devisant toujours, la marchande de journaux et de bonbons tirant bruyamment le rideau de fer de sa boutique), et encore, là-bas, dans l'impénétrable bouquet de bambous le pépiement du peuple des moineaux se rassemblant avant la nuit, invisibles, discordants, piaillant, se disputant, et encore l'entêtant parfum des poires tombées pourrissant par milliers sur le sol, l'odeur montant des inutiles hectares de vergers à l'assaut de la colline, sucrée, sûre, stagnant dans l'air épais comme de ces resserres, ces placards où les fruits de septembre sur les rayons recouverts de papier journal exhalent cette lourde senteur de fermenté, écœurante, agressive (Georges lui avait raconté que quand ils allaient passer les vacances chez elle, ou plutôt chez elles deux puisqu'alors elles étaient encore deux, toutes les deux déjà formidablement vieilles, même quand il était tout petit, de sorte qu'il ne connaissait, ne se rappelait d'elles que cela : la vieillesse, toutes deux menues,

vêtues de sombre et sans âge, les deux semblables
visages flasques et doux avec leurs identiques et
pudiques traces d'une poudre grise mal mise, leurs
identiques mains jaunes — décrivant donc l'immense et froide maison, aussi vaste et froide
qu'une caserne, où elles vivaient comme, disait-il,
dans une sorte de tombeau démesuré et pharao-
nesque à la succession de chambres inutiles, trans-
portant d'une pièce à l'autre sous les hauts plafonds (comme si, à mesure qu'elles se ratatinaient,
le cubage, les dimensions de la bâtisse augmen-
taient) leurs menues et invincibles carcasses —
la maison tout entière exhalait un subtil et pénétrant parfum de moisi, de fruits desséchés et
de confitures qu'il avait fini par ne plus séparer
d'elles, comme si elles étaient elles-mêmes deux
de ces fragiles et vieillottes poupées de bois se ta-
velant, se desséchant lentement dans la permanente et automnale odeur des poires et des pommes rangées sur les étagères, se ridant insensiblement, laissant sourdre comme un relent de mort,
de passé révolu, sur les vieux journaux qui leur
servaient de lits, avec leurs titres relatant des événements morts eux aussi, désuets, surannés et sans
plus aucune signification), comme si toute la campagne était imprégnée de cette même odeur dé-
composée contre laquelle les flots d'eau de Cologne dont la garde aspergeait les draps, le tapis,

n'arrivait pas à lutter, dans la chambre close où maintenant la barre horizontale du T, distendue à l'extrême, devait commencer à raccourcir à partir de la gauche, peu à peu rognée, rongée, dévorée, la lumière impossible à retenir, à capter, se moquant des rêts, des filets, des pièges, des éblouissants, astucieux et polygonaux réseaux de soie où les grosses araignées brunes se tenaient immobiles, patientes, indifférentes aux furieuses et sporadiques agonies des moucherons se débattant, s'épuisant en soubresauts désespérés, s'immobilisant, entre les hampes enlacées des hélianthes, des ronces folles, au-dessus du mur de la brèche où, toujours attentif, couard et sauvage, le chat se tenait ramassé, roux tigré, dans sa foudroyante immobilité, sa foudroyante vitesse en puissance, parmi le sauvage entrecroisement des ronces, les tachetures, les vergetures, la folle végétation envahissante.

« Rien qu'une vieille femme. Une vieille fille. Rien d'autre. Une vieille fille simplement en train de mourir de vieillesse dans son lit. Si tant est qu'elle ait jamais vécu, si tant est que tout ce qu'elle ait connu de la vie ne soit pas autre chose qu'une mort, si tant elle qu'elle ne soit pas déjà morte depuis des années et des années... ». Comme si elle n'avait jamais été rien autre que cela (puisque Georges affirmait qu'il ne l'avait jamais con-

nue différente) : une petite vieille toujours vêtue
de ces perpétuelles robes sombres, interchangeables, indémodables et indifférenciables, symboles
non pas même de deuil, d'affliction, mais peut-être
d'intemporalité, d'inexistence (le sombre, le noir
étant — au contraire du blanc qui renferme l'arc-
en-ciel entier des couleurs — comme une absence,
une négation), n'ayant donc pas été successivement une enfant, une adolescente, une femme,
mais surgie un jour au monde, quatre-vingt-quatre
ans plus tôt, telle déjà qu'elle était apparue (il y
avait maintenant dix ans de cela) à la grille du
parc, fragile silhouette noire dans la lumière, cha-
peautée, gantée de noir, tenant d'une main un sac
de voyage noir, usé aux coins qui laissaient voir
le cuir non verni, pelucheux et grisâtre, ayant fait
à pied sous le soleil de juin les deux kilomètres
qui séparaient la gare de la propriété (et, bien
plus : venant de parcourir plus de la moitié de la
France, tout au moins son territoire, car l'entité
politique, la nation, était, elle, en train de fondre,
de se rétracter à toute vitesse, exactement comme
une huître sous les gouttes de citron, une peau
de chagrin dont les limites refluaient au fur et à
mesure derrière elle, derrière le train, ou plutôt
les trains (elle en avait changé plusieurs fois) hétéroclites composés de fourgons à bestiaux, de
wagons de première classe et même de simples

plateaux, accrochés à la diable par des employés harassés, hargneux et terrifiés, qui le plus souvent fourraient en dernière minute leur propre famille dans le dernier wagon encore souillé des déjections des animaux dont on l'avait vidé(les dits animaux pendant ventre ouvert et à moitié débités aux piliers des marquises des gares et ce qu'on avait pu en emporter grillant sur des feux de fortune le long du ballast, au hasard des haltes en pleine campagne), sautant eux-mêmes dedans à l'ultime coup de sifflet, abandonnant derrière eux les gares désertes, les voies désertes aux signaux bloqués, les longues perspectives de rails nus s'enfuyant derrière les tampons dans la campagne tout entière abandonnée elle aussi, vide (les prés, les bois, les vallées silencieuses), indifférente, laissée en pâture au vainqueur, couchée, dans l'attente des conquérants, la molle et profonde terre avec ses vertes, scintillantes et paisibles rivières déroulant leurs méandres, avec, de loin en loin, des jeunes gens morts — comme si leurs rives buissonneuses, leurs hauts peupliers, leurs ponts de pierre rongés et piquetés de mousse noire n'avaient été imaginés et créés de toute éternité que pour cela, que pour constituer la dernière vision imprimée sur la rétine des adolescents destinés à mourir, regardant l'eau paresseuse et lente, attendant dans la verte paix d'un soir de défaite et le silence des

campagnes désertées, la chair haletante, le bref
éclair, la brève brûlure de leur mort), et elle (la
vieille dame, la vieille fille, la petite poupée fri-
pée et noire), se tenant donc là, à la grille du
parc, en cette après-midi de juin, après soixante-
dix heures passées dans les trains hétéroclites, les
gares, les cohues, la faim et la soif, nette, propre,
sans même un brin de paille accroché à sa jupe ou
à sa toque, le seul indice qui pût faire soupçonner
qu'elle ne sortait pas directement de chez elle et
que ce chez elle n'était pas la maison voisine mais
bien à sept cents kilomètres de là, étant la légère
poudrée de poussière grisant ses souliers noirs
(et encore seulement dans les plis, les craquelu-
res du cuir, parce qu'elle avait sans doute encore
une fois, avant d'arriver à la grille, essuyé dans
l'herbe du talus la poussière récoltée de la gare à
la propriété — car très certainement, celle du voyage, elle l'avait déjà soigneusement essuyée à sa
descente du wagon, ou avant même, avec une poignée de paille), se tenant donc là avec ce sourire,
cet air de s'excuser, un peu confuse, un peu hon-
teuse, disant : « Suis-je donc bête ! », disant :
« J'ai pris peur. Ils ne m'auraient pas fait de mal,
bien sûr, mais quand on a dit qu'ils étaient déjà à
Dôle, j'ai pris peur », disant : « Si c'est possible.
Etre bête à ce point. Croyez-vous. Une vieille femme comme moi... » (la scène — on l'avait plus tard

décrite à Louise — s'étant déroulée ainsi : des
personnages, un groupe de personnages paisiblement assis sous le grand marronnier, comme dans
un de ces tableaux impressionnistes où des dames
et des messieurs en costumes estivaux sont grou-
pés sur des chaises et des fauteuils de rotin autour
d'une table, et, sur la table, un plateau, des rafraîchissements, une nature morte, avec un pot à
citronnade et des tasses ou des assiettes blanc
bleuté dans l'ombre épaisse et bleue, et les personnages se découpant en silhouettes plus sombres sur le fond lumineux, chatoyant et pointil-
liste du reste du jardin, tournant tous la tête en
même temps au grincement de la grille, la regardant avec une sorte de stupeur, sans comprendre
(la servante cessant de frotter avec son tablier ses
yeux rougis, le domestique au visage sanguin, con-
gestionné par l'excitation, ou l'émotion, ou encore
peut-être de consolatrices libations — peint, dans
l'ombre épaisse du marronnier, par petites touches
vermillon, mauves, bleues —, en train de dire :
« On vient de le dire à la radio... On vient juste
de l'entendre... Ils ont passé la Loire, ils... », s'interrompant, restant lui aussi interdit, bouche ouverte), l'un des deux chiens couchés au pied de la
table se levant, passant de l'ombre à la lumière,
son pelage tacheté de brun se détachant maintenant sur l'herbe étincelante, trottinant vers l'arri-

vante, s'immobilisant à quelques pas — mais sans
aboyer —, et l'autre se levant aussi, le rejoignant
de ce même trottinement flasque, paresseux, feu-
tré, s'approchant plus près, jusqu'à la renifler —
tout ceci se déroulant dans un temps très court,
celui de la surprise, de la stupeur, jusqu'à ce que le
vieil homme (mais ce n'était pas encore un vieil
homme alors : commençant seulement à porter,
à être marqué par les premiers signes de tout
ce qui allait peu à peu, au cours des dix années suivantes, se transformer en autant d'injurieux stigmates (et plus qu'injurieux : cruels, impitoyables,
meurtriers) mais que pour le moment il dominait
encore : son corps seulement alourdi, pas encore
distendu, ses courtes jambes un peu alourdies aussi, son visage encore coloré, frais, en dépit des rides, les chairs commençant à peine à se désunir,
à glisser, à s'effondrer) jusqu'à ce que le vieil homme donc, ou plutôt celui qui dans les dix années
suivantes allait devenir un vieil homme, se levât,
se mît à courir (car il pouvait alors courir, plus
très souvent, son ventre tressautant sur ses jambes maladroites, mais enfin il pouvait le faire s'il
le fallait absolument, ou encore, comme cette fois-
là, sous le coup d'une émotion, d'un choc) vers la
minuscule silhouette noire, disant : « Bon Dieu ! »,
disant : « Bon Dieu, Marie, comment as-tu... », disant : « Mais laisse donc cette valise, Julien va... »,

se retournant, criant : « Alors, Julien ! Qu'est-ce
que vous at... », voyant courir aussi, sortir de l'ombre bleue, se détacher, sculptés maintenant en relief dans le soleil, les deux domestiques et la femme (pas encore vieille alors, elle non plus, du
moins pas aussi près de la vieillesse que lui, vêtue
de clair — trop clair —, le visage coloré aussi,
ou plutôt colorié, ses cheveux blonds — qui
allaient devenir orangés, puis, plus tard encore,
orangé-rouge — à ce moment à peine jaunis, un
long collier — trop long — tressautant sur sa poitrine en même temps qu'à ses doigts les bagues
— trop nombreuses, trop grosses — lançaient des
éclats durs, brefs, aigus, minéraux, dans la molle
et végétale lumière du jardin), et alors ils furent
tous autour d'elle : son frère, la femme de son frère
et les deux domestiques, l'entourant, la poussant
doucement vers la table, les fauteuils de rotin, le
domestique en avançant un, et elle tirant maladroitement sur ses gants de fil pour les enlever, ouvrant
son sac, en sortant, non pas comme on aurait pu
s'y attendre un chiffon souillé, grisâtre et même
noirci par tout ce qu'il avait dû essuyer en trois
jours en fait de suie, de poussière et de fatigue,
mais un mouchoir immaculé, encore dans ses plis,
en épongeant sans le déplier la sueur sur son
visage souriant, ses yeux aux bords rosis, les mains
agitées d'un continu, imperceptible et discret trem-

blement, répétant toujours avec ce même air confus : « Arriver ainsi sans prévenir... Si c'est bête ! Mais j'ai pris peur. J'aurais dû partir quand j'ai reçu votre lettre. Mais je pensais : une vieille femme comme toi... Pensez donc ! Seulement, quand je les ai tous vus qui partaient... Fatiguée ? Oh bien... Vous savez ce que c'est, quoi. Le train. Bien sûr, c'est toujours un peu fatigant, n'est-ce pas ? Mais suis-je bête, hein ? Croyez-vous ! Je vous demande un peu : qu'est-ce qu'ils m'auraient fait !...) : menue, donc, ratatinée et noire, arrivant ou plutôt projetée, déposée là, comme si tout cet effarant cataclysme n'avait eu d'autre fin, d'autre raison d'être que d'arracher une minuscule vieille femme à la paisible vallée qu'elle n'avait pratiquement jamais quittée et la catapulter, la planter, au beau milieu d'une pimpante après-midi de juin, comme un avertissement : « Parce que, comme dit plus tard le vieil homme, il fallait sans doute cela : que même un être comme elle, que même des êtres comme elle, c'est-à-dire placés par leur sexe et leur âge en dehors de — ou (les enfants) pas encore entrés dans — ce que nous considérions jusque-là, ce qu'on nous avait appris à considérer, ce que nous avait appris à considérer ce monde qui lui-même nous avait appris à le considérer comme civilisé, ou du moins parvenu à un certain stade d'évolution, ou, sinon d'évolution, de

savoir-vivre, de pudeur, de décence, et cela parce
qu'il se contentait de tuer seulement quelques millions d'adolescents du sexe masculin, et seulement
de temps en temps, et pour ainsi dire discrètement,
clandestinement, puisque la chose se passait, d'un
commun accord entre les gouvernants, les stra-
tèges et les données géographiques, dans des lieux
de tous temps réservés à cet usage (comme toute
maison de civilisé rationnellement comprise est
pourvue de cabinets) : ces plaines, ces deux ou
trois fleuves dont l'Europe avait pris l'habitude de
se servir comme de champs clos, d'égouts naturels,
ou plutôt de, comment appelait-on ces conduites
d'eau qui permettaient de laver l'arène souillée,
jonchée de morts, en même temps, dit-on, que
des vaporisateurs ou des brûle-parfums perfec-
tionnés purifiaient l'air de la fade, incommodante
— et inconvenante — odeur du sang... oui, sans
doute fallait-il que même des êtres comme elle,
placés, pensait-on, de droit et de fait, hors de ce
qu'on nous avait appris — ce que nous nous étions
résignés — à considérer comme en quelque sorte
le cheptel vif de l'Histoire, aient pu (sans que le
ciel s'écroule, sans même qu'un seul nuage cesse
d'y glisser paresseusement : et non par accident,
par malchance, par un accroc au programme, mais
tout naturellement, et par milliers, par centaines
de milliers) être chassés de leurs maisons et jetés

pêle-mêle, intégrés sans distinction d'aucune sorte
au troupeau résigné ou paradant des traditionnelles
victimes et des traditionnels héros. Simplement
pour notre édification. Pour nous rappeler ce que
nous n'aurions jamais dû oublier : c'est-à-dire que
l'Histoire n'est pas, comme voudraient le faire
croire les manuels scolaires, une série discontinue
de dates, de traités et de batailles spectaculaires
et cliquetantes (quelque chose qui serait, en
somme, assimilable aux maladies, épidémies, inon-
dations et autres genres de fléaux aux manifesta-
tions sporadiques se produisant à heures, lieux et
dates bien définis, comme par exemple les courses
de taureaux ou la sempiternelle mort d'Œdipe),
mais au contraire sans limite, et non seulement
dans le temps (ne s'arrêtant, ne ralentissant, ne
s'interrompant jamais, permanente, à la façon des
séances de cinéma — y compris la répétition de la
même stupide intrigue), mais aussi dans ses effets,
sans distinctions entre ses participants, la guerre
elle-même n'étant plus seulement faite — c'est-
à-dire supportée, c'est-à-dire endurée, soufferte
(car même le soldat, même le soudard profes-
sionnel, le caricatural traîneur de sabre et le caricatural homme d'Etat en pantalon rayé, huit reflets
et jaquette ne font pas la guerre mais la subissent,
et c'est seulement notre incommensurable et dérisoire orgueil qui nous fait croire le contraire),

supportée par les hommes dans la force de l'âge mais encore et au même titre par les enfants et les vieilles dames comme elle, chapeautées, gantées, impavides, capables de se tenir assises très droites sur leurs valises comme si elles étaient en visite pendant soixante-dix heures ou plus de wagon à bestiaux, d'arrêts en pleine campagne, de bombardements, de gares aux foules hurlantes, et faisant preuve (les vieilles dames, et même aussi les enfants) d'autant de tranquille courage — ou inconscience : c'est la même chose — que les jeunes, farauds, héroïques, désuets et absurdes Saint-Cyriens en casoar et gants blancs... Bon. Donc, probablement, cela peut-il être, doit-il être considéré comme un bien, du moins ce que nous appelons de ce mot. Nous aurons au moins appris cela : que si endurer l'Histoire (pas s'y résigner : l'endurer), c'est la faire, alors la terne existence d'une vieille dame, c'est l'Histoire elle-même, la matière même de l'Histoire. » ... « A condition qu'on le comprenne... », répétait-il, ne finissant pas, retombant dans ce silence de vieillard dans lequel, jour après jour, il semblait plus emmuré, s'emmurer lui-même, de plus en plus taciturne, et quand par hasard il lui arrivait de parler (comme, quelques années auparavant, il lui arrivait de courir : aussi sous le coup d'une émotion, d'un choc) monologuant, verbeux, et sur ce ton de morne dé-

clamation, comme s'il ne s'adressait qu'à lui-même,
parlait pour lui tout seul, n'attendant pas, n'attendant plus de réponse, assis — il finit peu à peu
par passer ainsi presque toutes ses journées, lorsqu'il fut devenu si gros que ses jambes, ses pieds
douloureux ne réussirent guère plus à le porter que
du perron au kiosque —, l'été, sous le grand marronnier où il se tenait, accablé par le poids monstrueux de sa propre chair, sa propre chair complo-
tant, préparant sa propre destruction et ce, pour
ainsi dire, par un excès de vie, lui, pesant, difforme
et tolstoïen, son regard de faïence abandonnant
les feuillets épars sur sa table, perdu, enfantin,
bleu et las, au delà des paisibles frondaisons et des
vertes collines, revivant peut-être cette même semblable après-midi où elle (la vieille fille, sa sœur
— et plus que sa sœur : la femme (elle était de
plus de quinze ans son aînée) qui l'avait élevé,
et pratiquement nourri, et pratiquement tenu à
bout de bras jusqu'à ce qu'il ait pu se tenir debout
par ses propres moyens), où elle était apparue,
apportée par ce même train de sept heures, quoique composé alors lui aussi d'un assortiment de
wagons aussi hétéroclites que ceux dans lesquels
elle avait voyagé — ou plutôt vécu — pendant
trois jours et trois nuits, avec cette différence
aussi qu'il n'était pas sept heures mais environ
trois heures de l'après-midi, soit que ce fût le

train de la veille arrivant avec une vingtaine
d'heures de retard, ou celui du jour avec quatre
heures d'avance, ou peut-être encore celui du lendemain et même des jours suivants avec, dans ce
cas, une formidable provision d'heures d'avance,
car après celui-là et pendant près d'une semaine
il n'en passa plus, aucun écho répercuté, aucun
grondement du pont de fer sous les roues de fer
ne venant plus troubler le calme profond de la
vallée, revenue, retournée à la paix, au silence
originels, seulement animée par ces quelques
bruits qui sont encore du silence — comme le
bruit même du silence : le lent gémissement des
feuilles, la lente résonance du bronze frappé descendant du clocher, lente numération duodécimale
du temps, le son du bronze s'égrenant, suspendu,
impondérable, vibrant longtemps avant de s'éteindre dans l'air vaporeux.

Et ce fut son dernier voyage. Car elle n'était
plus jamais repartie. Non seulement quand les
trains roulèrent de nouveau (plus des convois : de
vrais trains, avec de nouveau des classes, des
wagons spécialement conçus : inconfortables, à
l'usage des voyageurs pauvres, et rembourrés, à
l'usage des derrières riches, et avec des contrô-
leurs pour vérifier si chacun, pauvres et riches,
était bien à sa place), mais même quand la paix
fut revenue et qu'ils purent rouler — ou plutôt

lorsqu'on put librement aller dedans — d'un bout
à l'autre du pays. Plus tard, on vendit la vieille
et immense maison, les quelques prés et bouts de
champs que le vieil homme et elle possédaient
encore, quoique depuis longtemps le vieil homme
ne touchât plus à sa part des revenus qu'elle per-
sistait, qu'elle avait persisté toute sa vie à lui
verser régulièrement en même temps qu'à chaque
fin d'année elle lui envoyait les comptes de la
maison — impôts, charges, réparations, loyers :
revenu net... — le tout s'élevant à quelques milliers de francs, ce qui, partagé en deux, ne faisait
plus que la moitié de quelques milliers de francs :
et cinquante ans plus tôt, lorsqu'il avait commencé à recevoir comptes et argent, le tiers —
la sœur aînée vivait encore — de quelques centaines de francs qu'il avait la première fois réex-
pédiés aussitôt, pour recevoir deux jours plus tard
— le temps de l'aller et retour, même pas celui de
la réflexion : juste celui, sur le pas de la porte,
de renvoyer le facteur — l'avis de refus avec,
l'accompagnant, ces simples mots : « C'est ta part.
Baisers. Eugénie » (c'était le nom de l'aînée), et
lui les connaissant assez (ses sœurs, les deux
femmes dont la plus jeune était son aînée de
quinze ans, et qui l'avaient pratiquement élevé,
avaient payé sou par sou ses études, ses livres et
son trousseau de Normalien, et non seulement par

leur travail mais encore — soupçonnait-il, avait-il
de bonnes raisons de soupçonner — par un renoncement spontané, tacite et inflexible à ce à quoi
toute femme aspire (un homme à elle, un foyer,
des enfants à elle, sortis d'elle), et refusant maintenant non seulement de se laisser rembourser —
du moins ce qui pouvait être remboursé : l'argent,
la peine, les privations, car le reste était de ces
choses qu'aucune restitution n'est capable de com-
penser — mais encore de toucher à ce qu'elles
estimaient être sa part de l'héritage commun), les
connaissant donc assez pour savoir qu'il était
inutile de continuer le va-et-vient du même man-
dat qui chaque fois se heurterait au même inflexible, obstiné et paisible refus, l'acceptant alors,
employant son montant — et même un peu plus
— à l'achat de deux semblables étoles de fourrure
qu'il leur envoya, recevant en réponse les lignes
suivantes : « ...gentil avec tes vieilles sœurs. Les
étoles nous ont fait un très grand plaisir et nous
tiennent bien chaud, surtout par les froids qu'il
fait cette année (bien plus tard, il devait trouver
un jour les deux étoles, intactes, soigneusement
camphrées, rangées dans le carton même du four-
reur chez lequel il les avait achetées). Mais il ne
faut pas gaspiller ainsi ton argent. La situation que
tu occupes maintenant (il venait d'être nommé professeur et préparait son doctorat) t'oblige à tenir

ton rang convenablement, et nous savons combien cela coûte... », et quelques années plus tard (cette fois, c'étaient deux robes de chambre) recevant de nouveau en réponse, de la même écriture d'Eugénie, scolaire, tranquille, impersonnelle (et plus qu'impersonnelle : qui était comme un refus — non un renoncement : un refus — lui aussi hautain, pudique et inflexible, de toute personnalité) cette autre lettre : « ... combien de fois je t'ai déjà dit que deux vieilles filles comme nous n'ont pas besoin de ce genre de choses. Tu sais d'ailleurs que dans notre famille on n'a jamais eu l'habitude de dépenser de cette façon, et maintenant que tu es marié tu dois d'abord penser à ta femme. N'oublie pas qu'elle n'est pas de notre milieu et qu'elle a sûrement été habituée à être gâtée. C'est pourquoi il te faut plutôt employer cet argent à lui acheter ce dont elle peut avoir envie. Une jeune femme comme elle et habitant une grande ville a toujours beaucoup de tentations et il ne faut pas qu'elle puisse avoir le sentiment d'avoir épousé quelqu'un au-dessous de son rang et qui n'a pas les moyens de la satisfaire. Nous avons choisi dans un catalogue ce manteau qui, pensons-nous, lui ira bien. Nous avons écrit pour le commander et elle le recevra dans quelques jours. Ne lui dis pas que c'est nous qui l'envoyons : il faut qu'elle croie que c'est toi, de façon que... », et alors il renonça (le

manteau valait près du double des deux robes de
chambre qu'il leur avait offertes), et à partir de
ce moment il se contenta de verser régulièrement
les sommes qu'elles — puis Marie toute seule —
continuèrent à lui envoyer chaque année à un
compte spécial qu'il arrondissait, avec des instruc-
tions spéciales données à la banque, et il n'en parla
plus.

On vendit donc maison et champs. Les quelques
champs aux avares récoltes qu'avait cultivés leur
père, les quelques vergers, le petit bois, la vigne
sur le coteau, dont il avait tiré assez de sueur
monnayable pour pouvoir, lui qui ne savait même
pas lire, non seulement faire en sorte que ses
enfants apprennent à lire, mais encore pour qu'eux-
mêmes ou plutôt elles-mêmes — les deux filles,
Eugénie et Marie — en apprennent assez pour, à
leur tour, être capables d'apprendre à lire à d'autres
enfants, et qu'avec ce qu'elles gagnaient en appre-
nant à lire aux autres (avec leurs deux maigres
salaires d'institutrices, fendant le bois l'hiver, cou-
sant leurs robes — ou plutôt raccommodant, réajus-
tant sans cesse les mêmes, en faisant une nouvelle
avec deux vieilles, elles-mêmes produits, dérivés,
de robes précédentes, ce qui faisait qu'une seule
robe représentait (cols, poignets, corsage, ceinture,
jupe) une ingénieuse combinaison de quatre autres
au minimum, à la façon de ces armes, de ces

10/3/81

blasons héraldiques dont la valeur se décompte
au nombre des quartiers, ou encore comme les
robes de ces danseurs qui ont reçu, il y a deux
ou trois cents ans de cela, le privilège de se pro-
duire dans la cathédrale de Séville pendant la
Semaine Sainte aussi longtemps que les costumes
qu'ils portaient dureraient et qui, depuis, n'en ont
jamais changé, se transmettant de génération en
génération les précieuses loques rapiécées au fur
et à mesure de l'usure du tissu, de sorte qu'il
finit par ne plus rien subsister de la robe originelle qu'un hétéroclite assemblage de pièces, elles-
mêmes remplacées à tour de rôle : pas même des
vêtements, les éclatants costumes bondissants,
mais la permanence immatérielle d'un mythe à
travers le temps putrescible —, trouvant encore
le moyen d'aller, quand le père fut mort, bêcher
et sarcler, une fois les classes finies, les champs
les plus proches de la ville, et ne se résignant
qu'à contre-cœur à louer le reste), avec ce qu'elles
gagnaient, donc, les deux sœurs réussissant à élever leur frère, non seulement dans le sens courant
du terme, mais dans sa pleine acception, le poussant, le hissant littéralement de la condition de
fils d'un paysan analphabète, illettré, à celle non
seulement de lettré mais encore de maître (car
c'était dans cela qu'il s'était spécialisé, ce fut cela
qu'il enseigna plus tard à la Faculté) de ce lan-

gage, de ces mots que son père n'avait jamais pu réussir à lire, encore moins à écrire, tout juste à balbutier, lui les ayant pour ainsi dire non seulement conquis, assimilés, mais, comme tous les conquérants en usent avec leurs conquêtes, démembrés, dépouillés, vidés de ce mystère, ce pouvoir terrifiant que possède toute chose ou toute personne inconnue, sans antécédents ni passé, fruits apparents de quelque génération spontanée, mystérieuse, presque surnaturelle : s'étant donc attaché à leur découvrir une ascendance, une généalogie et, partant, à leur prédire, leur assigner une inéluctable dégénérescence, une sénilité, une mort, comme si, ce faisant et par une sorte de pieuse vengeance filiale, il affirmait l'invincible prééminence du vieil analphabète (des générations d'analphabètes aux mains calleuses, aux jambes lentes, au parler lent, aux reins courbés sans repos depuis le commencement du monde vers la terre nourricière, répétant sans fin les mêmes gestes millénaires, taciturnes, secrets) sur les instruments subtils, perfides et éphémères de toute pensée, comme eux subtile, perfide et éphémère.

Et malgré cela (malgré l'insignifiance de leurs salaires d'institutrices, l'insignifiance des revenus des terres, la charge de ce frère à élever et leurs décentes et austères robes de noblesse à quatre, huit ou seize quartiers) ne se contentant pas de

conserver l'immense maison — à moitié en ruine
lorsqu'on l'avait acquise — que la famille possédait en ville, mais, avec une obstination et une
patience de fourmis, la reconstruisant pour ainsi
dire à peu près entièrement, année après année,
par parties infinitésimales (capables de vivre une
année entière dans une pièce dont les murs bruts
laissaient voir briques et moellons, enduits l'année
d'après, et peints seulement encore l'année d'après,
et Georges racontait qu'il avait assisté dans son
enfance à l'ultime finition, l'ultime parachèvement,
se rappelant encore des murs sans papier peint,
des parties de plancher pourri interdites par une
corde et qu'il retrouvait, aux vacances suivantes,
refaites à neuf, fleurant encore le bois frais, la
forêt), élevant donc (car il ne leur fût sans doute
pas revenu beaucoup plus cher de tout abattre et
d'en faire construire une neuve à la place) pratiquement pierre à pierre cette sorte d'ambitieuse
— et, selon l'expression de Georges : pharao-
nesque — demeure, comme le temple, l'édifice aux
proportions démesurées destiné à consacrer l'élé-
vation, l'établissement d'une famille ou plutôt
d'une dynastie, avec son immense escalier, ses
immenses pièces où, par une amère ironie du sort,
elles devaient être les seules à promener leurs
silhouettes menues, ce frère pour lequel, pour la
dynastie, la descendance duquel la maison aux

innombrables chambres avait été acquise, conservée et reconstruite pierre à pierre, et la femme
de ce frère, et les enfants de ce frère (Christine
et Irène, les deux filles, Georges, le fils), n'apparaissant que pour de brefs séjours — le temps de
laisser passer les insupportables étés du Midi —,
repartant aux premiers jours de septembre, les
laissant solitaires, de plus en plus ridées, rata-
tinées, souriantes, désolées et impénétrables, agitant doucement leurs mains en gestes d'adieu
tandis que l'auto démarrait, rapetissant, encadrées
par la glace arrière, debout sur le pas de la porte,
avec, derrière elles, l'accumulation, la suite, l'entassement des pièces vides, aux plafonds démesurés, la vaste maison tout entière envahie par
l'insidieuse et tenace exhalaison des fruits en train
de se dessécher lentement sur les étagères garnies
de journaux.

Mais elle n'y revint pas. Ce fut Georges qui fit
le voyage, se rendit directement chez le notaire
où, pendant que celui-ci, le dos tourné, faisait semblant de regarder par la fenêtre, un marchand de
bestiaux lui compta (annonçant, à chaque liasse
de cent mille qu'il sortait, ficelée en rouleaux, de
poches d'une canadienne crasseuse : « Un bœuf ! »)
le solde de la somme contre laquelle on avait vendu
— cédé, abandonné — ce qui ne pouvait avoir ni
prix ni valeur marchande, ne pouvait pas être

échangé contre l'équivalent en billets de banque
d'un troupeau de bœufs : non pas une maison,
quelques terres, mais comme le tombeau même, le
funèbre et vain mausolée de tout espoir et de toute
ambition, elle (Mademoiselle, comme l'appelaient
maintenant les domestiques) n'ayant même pas
voulu, ayant obstinément refusé de se déranger,
non qu'elle fût comme son frère — le vieil homme
de quinze ans son cadet et qui, de jour en jour,
passait de plus en plus d'heures sans se lever de
son fauteuil — incapable de bouger : au contraire,
partant chaque jour après déjeuner (et ce, qu'il
plût, gelât ou fît soleil) invariablement vêtue, semblait-il, de la même robe sombre et du même manteau qu'elle portait parfois sur son bras, abandon-
nait seulement par les plus chaudes journées de
l'été, s'appuyant sur le même parapluie noir qui,
au soleil, lui servait d'ombrelle, allant, solitaire,
voûtée, par les chemins boueux, durcis ou poussiéreux : la même promenade, les mêmes haies
dépouillées ou verdoyantes qui la voyaient passer,
enjambant les flaques d'eau, traversant les plaques
de gel ou musant le long des fossés, des buissons
de mûres qu'elle cueillait, avalait furtivement,
presque comme en faute, essuyant le jus à ses
lèvres du même mouchoir raccommodé, reprisé,
retaillé, mais toujours aussi immaculé, toujours
dans ses plis — et combien en avait-elle, com-

ment s'y prenait-elle pour qu'ils fussent toujours aussi blancs, aussi nets, c'était sans doute là l'un de ses secrets : quelque chose de mystérieux, d'illogique et de paradoxal comme ses quelques accessoires non de beauté (pas de la coquetterie et pourtant quelque chose comme de la coquette- rie — quoique sans rapport avec ce qui poussait, forçait l'autre vieille femme, la femme de son frère, qui, elle, eût pu largement être sa fille —, à teindre ses cheveux en rouge-orange, ses ongles couleur sang, et peinturlurer son visage de toutes les couleurs de l'arc-en-ciel) mais de toilette : bien rangés, alignés sur le napperon brodé, lui aussi blanc, immaculé, placé devant la glace au cadre de peluche jaune-vert appuyée, légèrement incli- née en arrière sur un triangle de carton cousu dans la même peluche jaune-vert et articulé en charnière au dos de la glace, quelques-uns de ces objets dont la présence, pourtant naturelle, avait là on ne savait quoi d'illogique, de paradoxal : le peigne, les deux brosses, la pince à épiler, et une de ces boîtes de poudre bon marché, ronde, en carton décoré d'un semis de petites fleurs, et sur l'étiquette blanche, le nom du parfumeur — un de ces noms centenaires, et que l'on voit main- tenant, conservant sa vieille calligraphie, sur des flacons en formes de mannequins ou de diamants mais qui, sans doute pour l'usage exclusif des

vieilles dames, continue à figurer aussi sur la
même boîte à poudre, décorée du même semis
désuet de petites fleurs — et encore une paire de
ciseaux à ongles, et, insolite, un énorme rasoir à
manche de corne, et un paquet à demi-défait de
ces épingles à cheveux en métal, aux branches
noires et ondulées, encore dans leur enveloppe de
ce papier bleu sur lequel figure le buste d'une
jeune femme un peu grasse, au style mi-vénitien
mi-1900, en train de peigner une longue chevelure
ondoyante.

Donc elle ne partit pas, refusa catégoriquement
de partir, fût-ce accompagnée, s'obstinant, se défendant avec une sorte de paisible étonnement,
d'inflexible douceur, disant : « Qu'est-ce que j'irais
donc faire ? Que voulez-vous que j'aille faire là-
bas ? » : elles se tiennent toutes deux, assises dans
l'ombre bleue du marronnier, les deux belles-sœurs
— celle aux cheveux teints en rouge et celle vêtue
de sombre —, et peut-être est-ce la fin de l'après-
midi et elle (Mademoiselle) non pas à proprement
parler assise mais, exactement comme le jour où
elle a débarqué de ce train, simplement posée sur
le bord du fauteuil, quoique elle vienne tout juste
de rentrer de sa quotidienne promenade, et le chapeau sur la tête, et, sur la table de rotin où se
trouve le même plateau avec la théière bleue et
les rafraîchissements, un bouquet de ces fleurs

des champs qu'elle a coutume de cueillir au revers
des fossés, tirant gauchement à elle, serrant les
tiges de ses doigts déformés, les fleurs éparses,
déjà flétries, assoiffées, et Sabine — la femme de
son frère —, elle, renversée dans l'autre fauteuil,
s'éventant, la main aux doigts chargés de bagues
jetant à chaque passage les mêmes éclats minéraux, froids, diaprés, et, par derrière l'éventail,
jetant à sa belle-sœur — à cette créature du même
sexe qu'elle et pourtant, en quelque sorte, asexuée
(pense-t-elle sans doute, avec comme une sorte
de commisération apitoyée, de mépris, et — qui
sait — d'envie) — de brefs regards perplexes,
pensifs, déroutés, disant : « Mais cette maison
dans laquelle... à laquelle... »

Et elle : « Oh, oua !... »

Et Sabine : « Mais vous n'avez pas envie de la
revoir ? De retourner là-bas au moins une fois,
une dernière fois, avant que... »

Et elle : « Pour quoi faire donc ? C'est bien
comme ça, allez... »

Et Sabine : « Mais toute votre vie... »

Et elle : « Oh, oua. Bien sûr. Mais que voulez-
vous qu'on y fasse ? Vous savez, chez nous, dans
notre famille, on n'a jamais fait attention à ces
choses-là. On n'en parle pas. Et puis, depuis la
mort d'Eugénie, j'étais toute seule là-dedans...
Oua. C'est bien comme ça. »

Et Sabine : « Mais... »

Et elle : « C'est bien comme ça. »

Et Sabine : « Mais rien qu'aller et venir, rien que pour revoir... »

Et elle : « Non. A quoi bon. Et puis, il pleut trop là-bas. J'en avais assez de voir tout le temps cette pluie. C'est sale. »

Et Sabine : « Ecoutez, Marie, je voudrais vous parler, j'ai besoin de vous parler de... »

Et elle : « Regardez voir ces malheureuses fleurs : elles sont déjà toutes flétries, elles... »

Et Sabine : « Il faut les mettre dans l'eau, je vais dire à Anna de... Mais vous n'avez pas soif, vous ne voulez pas prendre un peu de thé ? »

Et elle : « Du thé ? Non. Mais un verre d'eau je boirais bien s'il... »

Et Sabine : « Il y a du sirop d'ananas, de l'orangeade ou, si vous préférez... »

Et elle : « Non. Rien qu'un verre d'eau. Je vais... »

Et Sabine : « Ne bougez pas. Anna !... »

Et elle : « Laissez donc, je peux bien... »

Et Sabine : « Ne bougez pas. Annaaa !... »

Et elle : « Mais laissez donc, vous n'allez pas déranger Anna pour... »

Et Sabine : « Ah ! Enfin, Anna ! Où étiez-vous ? Est-ce qu'il faut que je m'égosille pendant une heure pour que vous m'entendiez ? Portez donc de

l'eau fraîche et un verre pour Mademoiselle et
mettez ces fleurs dans un vase. »

Et elle : « Je les mettrai bien moi-même, je... »

Et Sabine : « Laissez, Anna va s'en occuper.
Ecoutez, Marie, je voudrais vous parler. C'est à
cause de Georges. Je n'aime pas qu'il aille seul
là-bas chercher tout cet argent... »

Et elle : « Allons donc... »

Et Sabine : « Non, je sais ce que je dis, je sais
de quoi je parle... » Puis sa voix mourant, et son
regard se détournant, la main chargée de bagues
continuant à aller et venir, jetant toujours au passage ses éclats irisés, l'éventail allant et venant
mais les yeux ne regardant rien maintenant, même
pas les opulentes frondaisons, même pas les collines, l'air tremblotant, bleuâtre, et au bout d'un
moment, sans détourner la tête, son regard toujours fixé sur rien, les lèvres remuant, disant
comme pour elle-même : « Je crois que nous
l'avons eu trop tard, on dit que les enfants que
l'on a après un certain âge... Mais Pierre avait
tellement envie d'un garçon, et maintenant... »

Et elle : « C'est un bon petit, voyons... »

Et Sabine (toujours sans la regarder, ni elle, ni
les collines, ni le ciel, quoique ses yeux soient
grands ouverts, ni même les deux papillons blancs
voletant dans le soleil au-dessus de la pelouse, se
poursuivant, s'emmêlant, leur vol saccadé s'éle-

vant par degrés, redescendant, s'affalant, remontant : non plus deux insectes mais deux chatoyants fragments de lumière, dansant exactement comme ces légers papiers de soie que les jongleurs japonais soutiennent dans l'air ·au-dessus de leurs éventails) disant : « Il m'inquiète, si vous saviez comme il m'inquiète... »

Et elle : « Allons donc... »

Et Sabine : « Non. C'est mon fils. Je le vois comme il est. Je suis incapable de lui dire non, mais je le vois. Je n'aime pas qu'il aille seul là-bas chercher tout cet argent. »

Et elle : « Ah, oua. Pensez-vous... »

Et Sabine : « Si seulement il avait voulu travailler un peu. Si seulement il avait fait un petit effort. Pierre... Et maintenant il ne pense qu'à cette plantation, il s'est mis en tête de... »

Et elle : « C'est comme son grand-père. Notre père n'avait qu'une idée... »

Et Sabine : « Maintenant ce sont ces poiriers. Il prétend... Mais j'ai parlé avec les métayers. Tous disent qu'on ne peut pas espérer que dans des terrains comme ceux-là cette espèce de poiriers vienne bien. Le sol est trop humide. Mais il dit que ce sont des imbéciles qui ne savent que toujours planter la même chose et que c'est pour ça que... »

Et elle : « Mon père disait... »

Et Sabine : « ... les terres sont d'un si faible rapport ici, il ne veut rien entendre, et je lui ai déjà donné tellement d'argent » (et baissant la voix, ou plutôt la voix lui manquant, les yeux toujours perdus, l'éventail allant et venant, et toujours l'éclat régulier des bagues dans l'ombre bleue du marronnier, et enfin disant, parvenant à dire) : « Ecoutez, Marie, il n'y a qu'à vous que je peux parler. Je lui ai déjà donné plus que... plus que... Enfin je n'ai pas le droit. Si Christine et Irène savaient tout ce que je... Et maintenant ce sont ces poiriers, vous comprenez ? Et il va avoir sur lui tout cet argent... »

Et elle : « Qu'est-ce que j'en ferais ? Je vous demande un peu. Que voulez-vous que j'en fasse ? J'ai ma retraite. Qu'est-ce qu'une vieille femme comme moi a besoin de... »

Et Sabine (et maintenant des yeux toujours immobiles ne fixant, ne regardant rien, deux traces argentées descendant lentement, sans qu'elle bougeât, fît mine de les essuyer, deux traînées brillantes s'étirant de chaque côté du nez sur le visage semblable à une pâte molle et rose, descendant sur les joues molles, délayant la poudre trop rose — ou plutôt mauve —, glissant dans les rides aux commissures des lèvres fardées, et à la fin deux points scintillants, cristallins, irisés comme les feux des bagues, tremblotant de chaque

côté de son menton, et toujours sans qu'elle parût
s'en soucier, les sentir, penser à les essuyer, et
vieille soudain, terriblement, malgré ses fards
multicolores, ses voiles multicolores, sa chevelure
flamboyante, plus vieille que la vieille femme en
noir assise ou plutôt posée droite sur le bord du
fauteuil en face d'elle, celle-là sans âge, ou au-delà
de tout âge, de sorte que ce n'étaient plus deux
vieilles conversant sous l'arbre parmi l'éblouissante et lumineuse végétation de l'été, mais une
vieille femme peinte et une vieille dame, la vieille
femme à la robe bariolée, au visage bariolé disant) :
« Si jamais son père l'apprenait, et ses sœurs... »

Et elle : « Mais ce sont vos terres. Un jour ce
sera aussi à elles, et s'il plante ces arbres il doit
savoir ce qu'il fait, il... »

Et Sabine : « Je voudrais le croire, mais j'ai
peur que ce soit encore... »

Et elle : « Allons, vous vous faites des idées.
C'est parce qu'il tient de son grand-père. Pierre
ne veut pas le comprendre, mais c'est un bon
petit. »

Et Sabine : « Si vous saviez comme je suis malheureuse !... »

Et elle (et dans sa voix quelque chose comme
du scandale, comme choquée, ou plutôt gênée, car
sans doute est-elle incapable, s'en voudrait-elle
d'exprimer, de laisser voir, d'éprouver quoi que ce

soit qui ressemble à de la réprobation, elle dont la voix n'a pourtant jamais, ne s'est jamais permis de trembler, et même pas de trembler : simplement de dire des choses qui auraient pu la faire trembler) : « Allons, voyons... »

Et Sabine : « Quelquefois, je me demande si une femme n'arrangerait pas tout ça, je me demande si ça ne le fixerait pas. C'est un instable, vous comprenez, il... Il ne vous a parlé de rien ? »

Et elle : « Parlé de quoi ? »

Et Sabine : « Cette fille, je sais qu'ils se voient, on dit qu'elle est sa maîtresse, on l'a vue plusieurs fois avec lui en voiture. Il ne vous en a pas parlé ? »

Et elle : « Ma foi, non, il... »

Et Sabine : « Il ne vous a pas demandé d'argent, ces derniers temps ? Il m'en a demandé, j'ai refusé, je ne veux plus, je n'ai pas le droit, je lui ai dit : Quand tu feras autre chose que vivre comme un paysan, tout le temps fourré avec ces brutes à la pêche, à la chasse, dans ces bals de villages, et te saoûler avec eux... Est-ce qu'il vous a demandé de l'argent ? »

Et elle : « Ma foi, c'est-à-dire... »

Et Sabine : « Et vous le lui avez donné ? »

Et elle : « C'est-à-dire... »

Et Sabine : « Je le sais. Je sais même qu'elle s'appelle Louise. C'est un nom vulgaire. On sait tout ici, ce n'est pas difficile, entre les domestiques, les métayers et les commerçants... Naturellement ce n'est pas le genre de fille dont j'avais rêvé pour lui, mais par moments je me demande si celle-là ou n'importe quelle autre... Ce n'est pas cela qui est important : l'important, c'est qu'il se fixe, alors j'en viens à souhaiter qu'il l'épouse, on dit qu'elle est très jolie, celle-là ou une autre, après tout, pourvu que... Mais il la trompera. Comme Pierre me trompe. Vous savez, n'est-ce pas, que Pierre me trompe ? »

Et elle : « Voyons... »

Et Sabine : « Ecoutez, savez-vous ce qu'il m'a dit hier ? »

Et elle : « Allons, voyons, c'est tout juste s'il réussit à aller jusqu'au kiosque et... »

Et Sabine : « Il m'a dit que nous devrions faire lit à part, il veut que nous fassions lit à part maintenant, comprenez-vous cela, comprenez-vous ce que ça veut dire, croyez-vous que lorsqu'un homme dit cela à sa femme il n'y a pas de raison ? Naturellement, c'est votre frère, mais je sais ce que je dis. Il m'a toujours trompée, il n'a pas cessé de me tromper, et aujourd'hui il veut faire lit à part » (et maintenant les yeux de Sabine fixant sa belle-sœur, implorants, remplis de larmes sous la paupière lourde, luisante, fardée, et la bouche, les lèvres fardées disant :) « Mais est-ce que je

suis si vieille, est-ce que je suis donc si vieille,
dites ? »

Et elle : « Allons, voyons, ne vous mettez pas
dans cet état... »

Et Sabine : « Je ne me mets dans aucun état,
ce n'est pas moi qui m'y mets, c'est lui... »

Et elle : « Voyons, il ne peut seulement pas
aller plus loin que ce kiosque... »

Et Sabine : « Naturellement, je comprends, c'est
votre frère, vous le défendez, je vous comprends,
tout ce que je vous demande, c'est d'essayer de me
comprendre aussi... »

Et elle : « Mais bien sûr, mais tout ça, ce sont
des bêtises, il ne faut pas... »

Et Sabine : « Je voudrais bien, croyez que je ne
demanderais pas mieux, je voudrais bien, mais
comment voulez-vous que je fasse ?» (et sortant un
mouchoir, mais celui-ci de dentelle et chiffonné, et
se décidant enfin à s'éponger les yeux en même
temps que l'odeur violente du coûteux parfum se
répand, agressive, chimique, obscène, luttant un
moment avec la tiède senteur de l'herbe, des foins
coupés suspendue dans l'air autour d'elles, et la
vieille femme peinte reniflant, se mouchant, l'éventail replié sur ses genoux, cherchant son sac et,
tout en se repoudrant, parlant maintenant d'une
voix neutre, morne et, sinon apaisée, dépourvue de
toute véhémence, comme si elle avait renoncé à

convaincre, comme si tout ce qu'elle demandait à
l'autre, c'était, non de blâmer, de partager sa souffrance, sa rancune, mais seulement de la croire,
comme elle croit elle-même, ou plutôt éprouve, car
sans doute n'a-t-elle pas même besoin de croire,
de savoir, de preuves : éprouvant cette infidélité
(vraie ou imaginaire) comme une réalité physique,
un fait acquis une fois pour toutes, admis (ou plutôt non admis, parce qu'il y a des choses impossibles à admettre, même si l'esprit admet, le corps
s'y refusant), donc un fait acquis une fois pour
toutes (qu'il la trompe, l'ait trompée, continuera à
la tromper, même vieilli, difforme et presque incapable de se déplacer, même en dépit de toute vrai-
semblance et de toute possibilité), la première
fois, la première infidélité ayant contenu, ayant
engendré, continuant sans cesse à engendrer
toutes les suivantes, au point qu'elle sait sans
doute qu'il est inutile (c'est-à-dire que cela ne
changera rien à sa souffrance) de contrôler, de
s'attacher à la véracité des faits, disant :) « Mais
à quoi bon, vous ne pouvez pas comprendre ! »
(refermant le poudrier d'un claquement sec, regardant de nouveau du même air incrédule, perplexe,
songeur et comme envieux l'autre vieille femme,
ce visage ridé, affable, avec on ne sait quoi d'enfantin, pensant au corps intact, ignorant, blanc, aussi
intact, aussi ignorant qu'à sa naissance : non pas

un corps, pas la chair, pense-t-elle, mais la négation de la chair, comme si sous la robe sombre et flasque il n'y avait rien, et imaginant ce rien, la peau blanche intouchée sur les membres grêles, avec ces plis, ces fines rides, comme les corps fripés des nouveau-nés, comme si, pense-t-elle encore, elle était là-dessous comme au jour de sa naissance, comme si tout ce qui dépasse, le visage, les mains, les jambes, avait vieilli, jauni, mais que là-dessous elle soit comme au premier jour, pensant : « Petite vieille avec cette grosse tête disproportionnée qui l'apparente encore à ces nouveau-nés dans les premières heures, alors qu'ils ont encore leur affreuse tête chauve et ridée de petits vieux, petits gnomes hurlants venus au monde avec le visage même qu'ils auront le jour de leur mort, hurlants, épouvantés, comme s'ils éprouvaient, savaient, souffraient déjà prophétiquement tout ce qui les attend, la vallée de larmes, l'angoisse, sortis de Son Sein avec le visage même qu'ils auront en y retournant, à croire que Son Sein est peuplé de ces interchangeables têtes ridées simplement reprises et remises chaque fois telles quelles sur un corps neuf, sans qu'on ait même pris la peine, sachant ce qui les attend, d'effacer les stigmates des souffrances passées, ne dit-on pas d'ailleurs que la vie du fœtus est une souffrance, avant d'être renvoyés sur la terre, à la lumière, parmi les fleurs, les oiseaux et toutes les bêtes du Bon Dieu... » et disant à haute voix :) « Mais vous ne croyez pas en Dieu, n'est-ce pas ? »

Et elle : « Ma foi... »

Et Sabine (continuant toujours à la dévisager avec cette inquiète curiosité, cette perplexité) : « Je veux dire... est-ce que vous n'avez jamais cru, ou est-ce que c'est venu du fait de votre métier... je veux dire... je sais que dans l'enseignement, chez les membres de l'enseignement laïc, il y a... je sais, Pierre m'a dit que vos parents déjà... Ce qui est curieux, parce que d'habitude les paysans... mais est-ce que personne ne vous a jamais parlé de Dieu quand vous étiez petite... les autres petites filles... cela paraît tellement extraordinaire... et vous-même vous n'avez jamais ressenti, éprouvé le besoin... »

Et elle : « Ma foi non... »

Et Sabine : « Pourquoi souriez-vous, est-ce que cela vous paraît tellement ridicule... »

Et elle : « Mais non, seulement je regardais ces deux papillons... Sont-ils jolis, on dirait... »

Et Sabine : « Les pa... quels... ah oui... Ecoutez, vous savez que je me suis fait une règle de ne jamais parler avec vous de ces choses... Lorsque j'ai épousé Pierre, je l'ai pris comme il était, d'où il venait, et je savais aussi tout ce que vous aviez fait pour lui, vous et Eugénie, vos deux existences sacrifiées... »

Et elle : « Ah, oua... »

Et Sabine : « Si, si, oh, ces mouches sont insupportables, regardez, elle m'a piqué, sales bêtes, il va sûrement faire de l'orage, naturellement, puisqu'on n'a pas fini de rentrer les foins, c'est chaque fois comme ça, mais enfin... » (elle hésite, sa voix traîne, s'étire, cherche à reculer le moment, mais elle ne peut pas s'en empêcher, elle sait qu'elle ne peut pas s'en empêcher, pas plus qu'elle ne peut faire taire en elle, imposer silence au soupçon, à la jalousie et elle sait aussi qu'elle devrait se taire, mais c'est impossible, alors elle dit :) « Tout de même, il y a là pour moi quelque chose d'inconcevable... Est-ce que vous ne vous demandez pas parfois, est-ce que jamais l'idée de quelque chose d'autre... de Dieu... »

Et elle : « Allons, tout ça, c'est des sottises » : rougissant, son visage enfantin et ridé, crevassé, s'empourprant, comme s'il s'agissait d'une indécence, comme si le seul fait de tenir ce genre de propos, de conversation, était en soi une indécence, mécontente qu'on l'ait, que l'autre vieille femme l'ait forcée, malheureuse de s'être laissé forcer, d'avoir été obligée, acculée à le dire, de l'avoir dit, pianotant de ses doigts déformés, semblables à des bâtonnets de bois sec avec leurs nœuds et

l'écorce ridée de la peau, le bras du fauteuil de
rotin, avec non seulement sur son visage mais
encore dans le maintien de tout son corps ce
quelque chose de doucement inflexible, d'invincible, à la fois fragile et dur, tandis que l'autre
continue à la regarder, muette maintenant, désem-
parée, les deux vieilles femmes se tenant là, l'une
raide, toute noire, posée sur le bord de son siège,
et l'autre dans ses voiles criards et multicolores
renversée, épuisée, en arrière, s'éventant de nouveau, mais par contenance maintenant, car il ne
fait plus si chaud, les ombres commençant à
s'allonger sur la pelouse, et celles des haies sur
les prés, là-bas, de l'autre côté de la rivière, et une
charrette de foin débouche d'une haie, se met à
descendre le pré en diagonale, les bœufs cagneux
penchés l'un contre l'autre, épaule contre épaule,
retenant le poids, progressant lentement, de cette
allure ensommeillée, paisible et cahotante, et sur
le faîte du chargement sans doute une femme
assise, trop loin pour qu'on puisse la distinguer,
mais seulement la tache bleue de sa robe, ou plutôt
de son sarrau, ces blouses bleues à piquetis blanc
comme on en vend dans les marchés de campagne
et spécialement conçus, semble-t-il, pour s'accorder
avec le vert-gris des foins coupés, — le poignet
agile, la main aux ongles carminés allant et venant
nerveusement, tandis que peut-être continue à

s'échanger entre les deux femmes un de ces fulgu-
rants et muets dialogues (à moins que ce ne soit
pas entre elles deux, que ce soit seulement derrière, à l'abri de l'éventail, derrière le visage
bariolé, derrière les joues peintes, le front peint,
les paupières peintes : pour une seule des deux,
questions et réponses se succédant, posées et ren-
voyées par la même, à son seul usage) : « ... quarante ans il y a presque quarante ans que nous
nous sommes vues pour la première fois et je ne
vous comprends pas la propre sœur de l'homme
que j'ai épousé il y a quarante ans et je ne vous
connais pas

» Allons donc

» Qui êtes-vous

» Vous le savez vous venez de le dire la sœur
de l'homme que vous avez épousé Marie-Arthé-
mise-Léonie Thomas

» Et vous avez

» Quatre-vingt-un ans

» Quatre fois vingt ans quatre fois l'âge de
l'amour et sans amour

» Non pas sans amour

» Et vous allez bientôt mourir

» Je le sais

» Si ce n'est pas cette année ce sera l'autre
dans deux ans trois de toute façon ça ne peut
pas aller bien loin au printemps peut-être on dit

que le printemps est difficile à passer pour les
vieillards

» On le dit

» Et vous ne croyez à rien

Pas de réponse

» Et vous n'avez pas peur

» Peur de quoi

» Et vous ne regrettez rien

» Regretter quoi

» Je ne sais pas regretter ce qui aurait pu être
ce qui n'a pas été ce qu'on n'a pas eu ce qu'on
n'a pas fait

» Pourquoi

» Vous ne regrettez rien

» Non

» Et vous

» Non

» Et

» Non »

Puis s'apercevant sans doute, se rendant compte
qu'elle est en train de parler de nouveau, mais
pour de vrai, à voix haute, et sans doute depuis
déjà un moment (et pour ainsi dire sans que, toute
à l'autre dialogue, elle se rappelle en avoir pris
l'initiative) parce que c'est au milieu d'une phrase
que prononcent ses lèvres qu'elle reprend conscience, s'entendant dire : « ... et moi qui déteste
la campagne, tout ça à cause de cette guerre,

quelle catastrophe a été cette guerre, maintenant
il a pris l'habitude de vivre ici et il ne veut plus
en sortir, nous devions, il me promet tout le temps
que nous allons revenir à Pau, mais... » Et sans
doute parle-t-elle ainsi depuis plus longtemps
qu'elle ne le croit, est-ce une conversation qui a
commencé un long moment auparavant, puisque
aussi bien l'autre vieille femme en face d'elle la
suit, répond : « On est bien là... », et elle : « Oui,
vous peut-être, vous avez été élevée, habituée,
oh, si seulement il n'y avait pas eu cette guerre,
nous n'aurions jamais quitté Pau, nous serions
seulement venus ici comme avant, en septembre,
et Georges aurait continué ses études, je suis
sûre qu'il aurait repris, qu'il aurait... »

On vendit donc la vieille immense maison, et
Georges fit l'aller-retour, muni d'une procuration,
signa les papiers, et au printemps suivant toute
la plaine entre le pied de la colline et la rivière
fut plantée de jeunes poiriers qui, contrairement
à ce qu'avaient prédit les métayers et les gens du
pays, prirent très bien, se développèrent d'année
en année, et bientôt, l'été, du haut de la colline, la
terre disparut entièrement sous leur feuillage, et
ce ne fut que la première année où ils donnèrent
des fruits qu'on s'aperçut que ceux-ci se déta-
chaient, tombaient sur le sol avant d'arriver à
maturité et là se mettaient à pourrir lentement,

emplissant l'air tiède de septembre de cette entê-
tante et sûre odeur de fermenté, de placards et de
putréfaction.

Et entre temps Georges s'était marié, et Pierre
et Sabine avaient continué de vieillir, lui, de plus
en plus énorme, difforme, se mouvant de plus en
plus difficilement, elle, de plus en plus peinte,
semblait-il, les cheveux de plus en plus rouges,
vêtue de robes aux couleurs de plus en plus agres-
sives, les doigts de plus en plus chargés de bagues,
— mais peut-être fards, teintures, robes, bijoux ne
semblaient-ils si agressifs, voyants, extravagants,
qu'à force d'essayer de dissimuler, de parer un
visage, une chevelure, un corps de plus en plus
érodés par le temps (temps au passage ou du
moins aux effets non pas réguliers comme tendait
à le faire croire le balancier de la pendule du
salon : face de bronze au centre d'un soleil doré
oscillant sans trêve entre deux colonnettes de
marbre ornées de deux symétriques et impénétrables sphinges aux seins parallèles et eux aussi
dorés, le cadran surmonté d'une urne sans doute
symbolique, marbrurne que deux replets chérubins
(ou angelots, ou amours) de bronze semblent tenir
en laisse à l'aide de guirlandes bronzefleuries, le
mécanisme (reflété dans la glace placée derrière
la pendule et révélant la mystérieuse complication
des petites roues dentelées apparemment immo-

biles mais dont l'esprit sait qu'elles sont entraî-
nées dans un mouvement de rotation d'autant plus
terrifiant qu'invisible) faisant entendre de quart
d'heure en quart d'heure un tintement aigrelet,
dérisoire et mutin, le tout — angelots, sphinges,
guirlandes, urne, marbre et bronze — ayant quelque chose de funéraire et de futile, produit d'un
siècle à la fois funèbre et futile s'amusant avec
ingéniosité à construire autour d'un mouvement
d'horlogerie ces sortes d'édifices au style de gracieux tombeaux, comme si, par une sorte de pré-
monition, il avait su, lui, le gracieux siècle, et
ses gracieuses marquises dévergondées, et ses
marquis aux perruques poudrées, cyniques, liber-
tins, encyclopédiques et désespérés, qu'on allait
bientôt leur couper le cou), temps donc allant
s'accélérant, de sorte qu'une année de plus ne se
mesurait pas, dans les sillons des rides ou l'effon-
drement des joues, par une profondeur, un affais-
sement égaux à ceux qui s'étaient produits pendant le cours des douze mois précédents, mais
bien plutôt (les choses se passant, comme dans
ces mouvements de terrains lentement et sournoisement minés, par de brusques à-coups) les chairs
se désunissant pour ainsi dire, se ravinant, glissant par saccades, de sorte que ce n'était pas à la
suite d'une imperceptible transformation modi-
fiant par d'infinitésimales retouches leur aspect

extérieur que le vieux couple était maintenant
devenu ce qu'il était, mais par une suite de sou-
daines mutations, à la façon de ces acteurs de
cinéma qu'une série de plans rapides présente
sans transition à des stades successifs de gri-
mage : brutales, violentes et furieuses altérations
à partir de modèles initiaux vierges de toute flé-
trissure et même (tels qu'ils figuraient, lui et elle,
sur cette photographie, ce groupe pris quarante
ans plus tôt, le jour de leur mariage) fades, avec
cet air un peu niais, agaçant même, dont on ne
sait s'il tient au fait de poser devant l'objectif,
à l'émotion, au style photographique de l'époque
ou à cette insupportable bonne conscience que
confère la virginité, c'est-à-dire non pas tant l'in-
tégrité physique que désigne généralement ce
mot qu'une certaine attitude morale ou psychique :
un privilège, et, comme tous les privilèges, immo-
ral, injurieux, marquant celui ou celle qui en sont
les bénéficiaires de cette expression de sottise
à la fois solennelle et craintive, comme si la
virginité était moins une affaire de sexes, de la
chair déchirée, violentée, qu'une disposition, ou
plutôt une préservation de l'esprit, ou plutôt une
exemption, non du plaisir mais de la souffrance,
et certainement, en regardant ce groupe posant au
milieu des plantes vertes et des cache-pots 1900, il
apparaissait que dans ce sens (et la photo eût-elle

été prise le lendemain, après la cérémonie, la nocturne initiation, c'eût été la même chose, et peut-
être plus visiblement encore) les jeunes mariés (le
jeune homme svelte, presque maigre, presque
efflanqué, au visage orné d'une barbiche et d'un
lorgnon qui devait, qui était destiné à être, à devenir quarante ans plus tard l'informe montagne de
chair presque incapable de se mouvoir, et elle :
un irréel, minuscule et précieux petit visage de
porcelaine aux yeux en amandes, écrasé, disparaissant, délicat, fragile, suave, sous l'énorme
masse des cheveux), les jeunes mariés incarnaient
cette sorte de virginité qui est en somme comme
le contraire de la pureté (faite d'orgueil, de la
niaise vanité d'avoir non pas enduré, vaincu, mais
été protégé, exempté, préservé), et non les deux
femmes qui figuraient également sur la photographie, parmi les autres personnages, tous plus
jeunes qu'elles : demoiselles et garçons d'honneur,
cousins ou amies de la porcelaine de Saxe dont
on célébrait le mariage, les hommes avec leurs
coiffures démodées, leurs raies médianes, leurs
moustaches, leurs habits démodés, leurs poses
théâtrales, étudiées et démodées qui les eussent
fait prendre pour des garçons de cafés ou les invités
d'une noce de boutiquiers (car il apparaît avec un
peu de recul que pauvres et riches ont en commun
exactement les mêmes goûts, le même comporte-

ment, la même façon de s'habiller, mais à quelques
années d'intervalle, de sorte que ce qui sépare les
pauvres des riches, ce n'est ni (comme le croient
les pauvres) le fait d'avoir plus ou moins d'argent,
ni (comme le croient les riches) quelque supério-
rité ou raffinement innés de l'esprit, mais seulement du temps, c'est-à-dire leur position respec-
tive dans le temps, ce pourquoi, sur les vieilles
photos, les riches nous semblent toujours appartenir à une catégorie sociale assez vulgaire : parce
que la dernière fois que nous avons vu cette façon
de s'habiller, de se tenir, ç'a été par des gens de
classes inférieures qui ne faisaient qu'imiter avec
retard ce qu'ils avaient vu faire aux riches), qui
les eussent fait prendre, donc, pour des petits
boutiquiers s'ils n'avaient eu en commun cette
même instinctive et condescendante sûreté d'eux
qui s'extériorisait par une sorte d'abandon, de
négligence dans leur maintien, leur façon de tenir
leurs cigares, de sourire, de porter leurs habits
ou leurs uniformes — il y avait parmi eux un
jeune lieutenant de dragons — qui leur conférait
également (mais peut-être était-ce aussi, pour ceux
et celles qui, des années plus tard regardaient la
photographie, le fait de savoir que presque tous
étaient morts, que ces mêmes corps aux poses non-
chalantes, affectées et ridicules, étaient tous destinés, celui du jeune lieutenant de dragons comme

ceux des insouciants fêtards en habits, cigares et raies médianes, à bientôt pourrir, souvent sans sépulture, ou hâtivement recouverts de quelques pelletées de terre, ou jetés pêle-mêle dans un charnier avec ceux des milliers, des centaines de milliers de leurs semblables, moustachus, ridicules et pathétiques, comme on peut encore les voir dans les vieux films rayés des actualités de guerre, défilant de leur pas sautillant, toujours obstinément moustachus, boueux, levant un bras, agitant la main — de la même façon saccadée, mécanique et précipitée, due à la fréquence encore imparfaite des images, qui élevait alors les scènes de cinéma, les réceptions officielles ou les troupes en marche à une sorte de niveau transcendantal — au moment de passer près de l'opérateur et avant de disparaître pour toujours, sur la gauche de l'écran, dans le néant et l'oubli), cette négligence donc dans leur maintien qui, ajoutée à ce que savait sur leur avenir celui ou celle qui regardait la vieille photographie, leur conférait comme une autre virginité. Seules donc, parmi les virginaux personnages du groupe, les deux femmes, les deux sœurs, les deux vieilles filles, se tenaient assises, avec leurs visages sérieux, déjà durcis, usés, raides dans leurs robes raides (à cette époque où les femmes avaient l'air non de porter des robes mais d'être portées par elles ou plutôt d'en

émerger (tête, mains, pieds — même pas la che-
ville), hors d'une sorte de carapace cartonneuse et
dure à l'intérieur de laquelle leurs corps, leurs
corps de femmes, existaient, se tenaient sans doute
à la façon d'un corps de tortue) ; robes qui avaient
elles-mêmes une histoire, c'est-à-dire qui avaient
été pour les deux sœurs — comme ces objets dont
la recherche, la quête, est le prétexte d'épopées
— la source d'une aventure, non pas seulement
en raison de leur prix — quoique, de toute évidence, cette question ait été en elle-même une
aventure, ayant d'un commun accord décidé (non
certes par coquetterie mais pour ne pas faire honte
(pensaient-elles) à leur frère — leur fils) de
paraître à ce mariage dans des robes commandées
à Paris, dépensant d'un seul coup dans l'achat
de ces deux robes probablement autant, sinon
plus que ce qu'elles avaient dépensé pour se vêtir
durant toute leur vie — non seulement, donc, leur
achat, mais, pour aller les essayer, traversant
(c'était en 1910) la moitié de la France inondée,
comme si, chaque fois qu'elles (pour Eugénie,
l'aînée, ce fut la seule) allaient quitter leur ville,
la vallée où se déroulait leur vie, ce devait être
pour traverser un pays ravagé par un cataclysme
à travers lequel — inondation, déroute militaire
— il semblait qu'elles fussent capables de passer
intactes, en ressortant chaque fois comme si elles

revenaient d'une visite avec le même sourire confus, les mêmes paroles (« Croyez-vous !... ») de surprise indulgente, comme si elles cherchaient à
s'excuser, les événements, eux, étant excusés
d'avance ; assises donc là, sur ces deux maigres
chaises dorées louées sans doute à la journée par
le traiteur qui avait fait le repas, dans leurs austères, raides et somptueuses robes qui devaient
représenter le prix de deux ou trois ans de leur
vie, elle (Marie) regardant l'objectif en face, avec
ce visage déjà à peu près semblable à ce qu'il
devait être par la suite, pas aussi ridé, bien sûr,
mais reconnaissable, déjà « fait », pour ainsi dire,
parvenu à ce stade où les transformations ulté-
rieures ne seront plus que de simples surcharges
(alors que rien dans la suave porcelaine de Saxe
ou dans le filiforme professeur à barbiche et pince-
nez ne permet, même à un regard attentif, de
reconnaître l'homme-montagne et la femme aux
robes, au maquillage multicolores que les quarante
années suivantes vont façonner par de profonds
changement de leur structure même), parmi le
groupe des jeunes gens à têtes de fêtards démodés
appartenant à la jeunesse dorée de la ville où,
sans doute, le mariage avait dû provoquer une
manière de scandale, surtout lorsqu'on les vit (les
deux vieilles filles) caparaçonnées dans leurs ma-
gnifiques et cérémonieuses robes prune ou puce,

avec leurs cols montants, leurs manches à gigots
d'où sortaient des mains qui étaient moins des
mains d'institutrices que de paysannes et qu'il
n'était pas besoin de beaucoup regarder pour
savoir qu'elles avaient manié râteaux à faner,
serpes ou bêches, fait la lessive et la vaisselle,
aussi évidemment que celles de la jeune mariée
(elle avait à peine dix-huit ans) ou des garçons
d'honneur en habit ou uniforme de dragons
n'avaient jamais subi de contact plus rude que
celui des tiges de fleurs arrangées dans un vase,
des poignées de fleurets ou des rênes de chevaux.

Non que la famille, les collatéraux, les amis,
la jeunesse dorée n'eussent pas été prévenus, aver-
tis, aient ignoré les origines du marié. Peut-être
ce fut leur âge : qu'elles — ses sœurs — appa-
russent toutes deux capables, ou presque, d'être sa
mère, et donc étrangères (faisant figure d'intruses)
non seulement à cette société, ce milieu, mais
encore au groupe juvénile que composaient les
insouciants condamnés à mort et les fades jeunes
filles semblables à ces fades sylphides elles-mêmes
semblables à de pâles iris comme on en voit sur
les anciennes réclames de parfumeurs ; posant,
obligées de poser — cela se sentait, se devinait :
qu'elles n'étaient, ne figuraient là qu'à leur corps
défendant, qu'elles avaient dû chercher à se dérô-
ber, ne s'étaient résignées, soumises, assises sur

les fragiles chaises dorées que cédant aux insistances, à la suite d'une de ces scènes courtoises et ridicules qui se produisent dans ces sortes d'occasions — posant donc devant l'objectif, le fixant (Marie) de ces yeux bleus plus clairs encore que ceux de son frère, comme délavés, avec sur le visage cet air à la fois affable, enfantin et intraitable. Peut-être y eut-il autre chose que cela, que leur âge, que leurs mains rudes, calleuses, leurs visages rudes et paisibles, dont la présence au milieu du groupe avait à elle seule quelque chose d'insolite, d'inquiétant, ce quelque chose, cette présence discrète, effacée et terrible, que Sabine a senti, qu'elle sentira chaque fois que, par la suite, elle se retrouvera en face d'elles au cours des années qui vont suivre, et à quoi quarante ans plus tard elle n'aura pas encore pu s'habituer, faisant naître dans ses yeux, chaque fois qu'elle les regardera — ou la regardera, comme ce jour, quarante ans plus tard, où les deux belles-sœurs seront assises sous l'épais marronnier, conversant dans la paisible langueur d'un soir d'été — cette même expression de trouble, décontenancée, perplexe et songeuse.

Et maintenant, depuis cinq jours, Marie gisait dans la pénombre suffocante de la chambre où progressait insensiblement le T de soleil : en train de mourir, ou plutôt de se dessécher, de se momifier vivante pour ainsi dire, le visage que l'on pouvait déjà reconnaître sur la vieille photographie maintenant renversé en arrière, immobile sur l'oreiller, s'imprégnant d'heure en heure d'une sorte de majesté, se décantant, s'épurant, solennel et terrible, tandis que s'élevait régulièrement dans la maison (parvenant même jusqu'au dehors à travers les murs, les volets clos) ce son sans plus rien d'humain non plus, ce râle formidable, comme un soufflet de forge, monotone, obsédant et cadencé. Et cela ne s'était pas produit, comme l'avait pensé Sabine, au printemps, la saison difficile aux vieillards. C'était déjà presque l'automne, les derniers jours de l'été, et la chose ne s'était pas produite non plus de la façon habituelle, attendue (c'est-à-dire progressive : successivement les premiers malaises, les plaintes, puis le lit, puis l'aggravation du mal, puis l'agonie) mais (comme si jusqu'au bout, ou du moins tant qu'elle était en possession de sa conscience, elle s'était tenue — volontairement ou non — sur cette même réserve, comme en retrait, derrière cette espèce d'impénétrabilité souriante et granitique), mais de la manière suivante : Julien, le domestique, revenant de faire des courses en ville avec la voiture, l'apercevant au passage, assise sous le marronnier dans ce même fauteuil d'osier qui, en dix ans, était devenu son fauteuil et où, quand il faisait beau, elle avait

— 77 —

l'habitude de s'asseoir au retour de ses prome-
nades ; et plus tard Julien ressortant pour laver
la voiture et la voyant alors toujours assise à la
même place, et à ce moment un peu surpris, regardant mieux, trouvant dans son attitude quelque
chose d'étrange, d'inhabituel, outre le fait qu'elle
n'avait pas bougé du même endroit depuis deux
heures, avançant alors, et à mesure qu'il s'appro-
chait marchant de plus en plus vite, puis se mettant à courir, et, arrivé à un mètre d'elle, s'immobilisant, la regardant, assise pour la première fois
de sa vie de travers, et plus que de travers, comme
cassée, dit-il plus tard, une petite poupée noire
et brisée, la tête pendant sur le côté, quoique le
chapeau fût toujours posé dessus bien droit, et
aucun désordre, sinon par terre, au pied du fauteuil, sous la vieille main ridée et jaune pendant
au bout du bras, quelques fragiles fleurs des champs
éparpillées.

« Comme si ça pouvait durer indéfiniment !
dit le docteur. Que voulez-vous faire ? Il faut bien
qu'à un moment donné ou à un autre ça s'arrête,
il...

— Mais, dit Louise, est-ce qu'il n'y a pas des
piqûres, quelque chose qui...

— Quelque chose qui ? dit le docteur. Vous voulez que je lui fasse une piqûre pour lui remonter
le cœur ? Qu'est-ce que ça y fera de plus ? » Il

avait l'aspect d'une boule, vif, preste, avec des petits bras courts, et parlait d'une voix de tête : « Ces vieux, dit-il. Je les aime bien, moi. Mais que voulez-vous ? » (s'approchant de nouveau du lit, tirant brutalement du pouce la paupière, découvrant l'œil bleu, aqueux, mort, puis laissant brusquement retomber paupière et tête (on lui avait retiré sa perruque et maintenant elle ressemblait à un homme, ses rares cheveux tirés en arrière, plaqués sur la forme osseuse du crâne, comme si on l'avait soudain dénudée, et même plus que dénudée : râclée, écorchée), disant toujours de sa même voix de tête, claironnante, joyeuse, aiguë :) « Elle ne vous voit même plus, vous savez ? Non, ne vous en faites pas : elle n'entend pas non plus... », se baissant, hurlant dans son oreille : « N'est-ce pas, mademoiselle ? Est-ce que vous m'entendez ? Vous ne m'entendez pas, hein ? », se relevant, se retournant, triomphant, souriant, disant : « Vous voyez ?

— Mais pourtant elle vit ! dit Louise. Elle...

— Si vous y tenez absolument, dit-il, moi je veux bien... » (se mettant en devoir d'ouvrir sa trousse, préparant la seringue, se tournant vers la fenêtre — celle-ci alors pas encore fermée comme elle le sera pendant les jours suivants, grande ouverte, laissant entrer à flots la lumière, l'assourdissant concert du peuple jacassant des moineaux

dans le bouquet de bambous (comme ces féeriques
et irréels buissons apportés en cadeau par quelque
prince des Mille et une Nuits, habités d'oiseaux
gazouillants, discordants : l'exubérante, criarde et
folle explosion de vie) — tenant un instant la
seringue levée, verticale, dans le contre-jour, jusqu'à ce que quelques bulles irisées viennent se
former, éclater à l'extrémité de l'aiguille, se dirigeant alors vers le lit (elle, Louise, s'en éloignant,
le croisant, allant pousser les vantaux de la
fenêtre : et c'est soudain comme un mur s'interpo-
sant, rejetant, repoussant le bruit, les cris d'oiseaux, dans un arrière-fond lointain, et, à leur
place, le souffle difficile s'échappant de la boule
d'os, d'ivoire, sur l'oreiller), et le docteur se relevant presque aussitôt, rabattant le drap, essuyant
l'aiguille avec du coton, la dévissant, disant :)
« Voilà ! Mais vous savez... »

Et Louise : « Mais qu'est-ce que je dois faire ?
— Faire ? Qu'est-ce que vous voulez faire ?
— Mais...
— Vous voulez dire : votre beau-père ?
— Ça aussi. Mais elle...
— Où sont-ils ?
— A Vichy. Est-ce que vous croyez que je dois...
— Si vous devez... Mais, sapristi, qu'est-ce que
vous vous imaginez ? Qu'elle va s'en tirer, qu'elle...
Comment ? Mais puisque je vous dis qu'elle n'en-

tend rien, qu'elle est comme un morceau de...
Ecoutez : vous savez où leur téléphoner ?
— Oui.
— Alors, téléphonez tout de suite et qu'ils
prennent le premier train, parce que...
— Mais...
— Le premier train ! » (mais elle ne l'écoutait
pas, regardant le visage renversé sur l'oreiller, la
tête jaune qui dépassait des draps, l'austère tête
d'homme au maxillaire saillant, ou plutôt, à vrai
dire, pas plus d'homme que de femme : non pas
un troisième sexe mais cette entité asexuée que
l'on évoque lorsqu'on dit « l'homme », le mot employé dans son sens large, incluant les deux sexes,
puis elle sentit l'odeur du tabac blond — le docteur
cherchant des yeux un cendrier, n'en trouvant pas,
allant à la fenêtre : et de nouveau le piaillement
multiple et suraigu des moineaux faisant irruption
dans la chambre, l'emplissant, et, au travers, la
voix du docteur lui parlant, essayant de lui expliquer qu'il n'y avait rien, mais que malheureusement les docteurs étaient les seuls à le savoir,
avec peut-être les policiers, qui se mettaient indif-
féremment au service des régimes politiques successifs, et peut-être aussi les putains, mais que,
malheureusement pour elle, Louise n'était pas une
putain, parce que si elle en avait été une, elle
aurait bien su qu'il n'y avait rien, est-ce qu'elle

n'avait encore jamais vu mourir personne — dans
la face ridée les yeux ouverts semblaient quelque
chose de liquide, d'un bleu presque blanc maintenant, comme s'ils allaient d'un moment à l'autre
couler hors des paupières, et pourtant la regardant, mais le docteur dit qu'elle ne pouvait pas
la voir, qu'elle ne voyait rien, n'entendait rien,
c'est-à-dire (il fit entendre son rire aigu, aigrelet)
qu'elle voyait enfin et entendait la vérité, Louise
regardant toujours le visage, cette bouche tirée par
une sorte de rictus qu'elle ne lui avait jamais vu
— mais le docteur dit que c'était le côté correspondant à la partie du cerveau qui n'était plus
irriguée — lui donnant une expression moqueuse,
sarcastique, comme si elle était rentrée à l'intérieur d'elle-même, s'était retirée, laissant à la surface ce visage ricanant, se moquant, comme une
superficielle couche de chair imperméable, impénétrable — et le docteur disant :) « Après tout, elle
n'est rien pour vous.

— Non.

— C'est seulement la tante de Georges, pas la
vôtre. Au fait, où est-il ? »

Et elle, sans répondre, regardant toujours cette
chose sur l'oreiller, cette creuse boule d'os, disant
enfin : « Je ne sais pas, je pense qu'il va bientôt
rentrer. »

Et le docteur : « Bientôt ? »

Et elle : « Oui. »

Et le docteur : « Vous savez qu'il a encore perdu hier soir... Maintenant, il joue sur parole... Vous devriez l'empêcher, je ne veux pas vous dire ce qu'il doit. Rien qu'à moi... »

Et elle : « Alors, ne le dites pas. »

Et lui, jetant sa cigarette à peine entamée par la fenêtre ouverte, sortant de nouveau le paquet rouge de Craven, s'approchant d'elle, le lui tendant, disant « Non ? » et, de nouveau, l'odeur, le parfum du tabac blond, la petite main grasse du docteur aux ongles soignés agitant l'allumette pour l'éteindre, l'envoyant d'une pichenette par la fenêtre rejoindre la première cigarette, comme si cette suite de gestes n'avait d'autre but que de lui octroyer un répit, la voix reprenant après un raclement de gorge hésitant, disant enfin : « Ecoutez, s'il continue comme ça, il va au devant des pires embêtements, il... Sapristi, mais qu'est-ce qui sent comme ça, vous faites des confitures ? »

Et elle : « Non, ce sont les poires. »

Et lui : « Les poires ? »

Et elle : « Oui, les... »

Et lui : « C'est vrai, j'avais oublié, elles pourrissent sur place, n'est-ce pas ? Il n'a seulement jamais pu en cueillir une qui soit mûre : elles tombent avant, hein ? Dix hectares perdus à ça, sans compter... Sapristi, mais pourquoi ne les arra-

che-t-il pas, qu'est-ce qu... Ecoutez, je vous parle
en ami, il va au-devant des pires embêtements,
tout le monde n'aura pas ma patience, vous pensez
bien que je ne vais pas, moi, réclamer, exiger,
mais enfin, je ne suis pas le seul... D'autres... »

Et elle : « Que voulez-vous que j'y fasse ? »

Et lui (maintenant ils se tiennent tous les deux
près de la fenêtre ouverte sur le soir, par où arrive,
entre le soir — elle l'a vu, s'en est rendu compte
parce que la flamme de la dernière allumette a
jeté une lueur : pas la nuit, pas encore même le
crépuscule, mais l'heure où une flamme d'allumette lutte contre la lumière à égalité — et toujours l'assourdissant tapage des moineaux et,
s'exhalant avec la chaleur du jour, de la terre
chauffée, montant avec l'air, depuis le bas de la
colline, l'odeur sûre des poires tombées, des
poires en train de pourrir par milliers sur le sol
tiède, et, d'un geste de la tête, le docteur désigne
l'agonisante, la tête de plus en plus sombre maintenant sur l'oreiller, les draps qui semblent res-
tituer, comme la terre, la chaleur, la lumière accu-
mulée pendant le jour, phosphorescente dans le
fond de la chambre qu'envahit lentement l'ombre,
et elle peut voir l'épaisse veine bleu-noir se rami-
fiant, poussant ses racines sur la tempe jaune, le
crâne jaune à travers les rares cheveux tirés en
arrière comme ceux d'une pensionnaire, la forme

nue du crâne comme... comme... « une boîte »,
pense-t-elle, « c'est cela : une simple boîte d'os... »
et lui parvient la voix aiguë du petit docteur
disant) : « Croyez-vous qu'elle lui laissera quelque
chose ? Alors, qu'il en profite pour payer ses dettes
et qu'il se tienne tranquille ! Mais est-ce qu'il n'en
a pas déjà tiré tout ce qu'il a pu, d'elle comme de
sa mère, et ce n'est pas du côté des Thomas
qu'était l'argent. Qu'est-ce que c'était, des paysans, non ? La grosse fortune, c'était... »

Et elle : « Oui. »

Et lui : « Je me demande qu'est-ce qui vous a
pris, qu'est-ce que vous êtes venue faire dans une
famille pareille, épouser Georges, je n'ai jamais
pu m'expliquer... Vous savez que vous êtes ravissante, je... »

Et elle : « Il faut que j'aille téléphoner là-bas... »

Et lui : « Je ne vous l'ai jamais dit, vous êtes
ravissante, ce n'est pas mon genre de faire des
déclarations... Quand on exerce un métier comme
le mien, ces choses-là, parce qu'il n'y a rien, comprenez-vous, rien, quand vous avez vu mourir suffisamment de gens, vous vous rendez compte qu'il
n'y a rien, toutes les saloperies qui peuvent vous
arriver, ce qu'on peut voir défiler à l'hôpital... Je
crois que j'ai une de ces saletés au cœur, une
tachy... Mais à quoi bon, vous êtes ravissante, vous
devez avoir des seins ravissants, je suis sûr que...

Dommage que je ne sois pas votre docteur. Qui est-ce qui vous soigne, vous devriez venir me voir à mon cabinet, les femmes ont toujours quelque chose qui ne va pas, vous... »

Et elle : « Certainement, en attendant, il faut que j'aille téléphoner... »

Et lui : « Naturellement, ce n'est pas une déclaration dans les règles, nous en savons vous et moi beaucoup trop sur la vie, ça vous ferait éclater de rire, je suppose, alors... »

Et elle : « Oui, c'est très drôle, de toute façon, c'est très drôle... maintenant il faut que j'aille téléphoner... »

Et lui : « Ne vous fâchez pas, j'ai tenté ma chance, quoi, je vous estime trop pour croire que j'aurais dû vous faire une de ces déclarations... »

Et elle : « Mais bien sûr, vous... »

Et lui : « Oh, vous savez, si c'est pour elle, ne vous en faites pas, elle n'entend rien, elle n'est même pas capable de vous reconnaître, et même si... »

Et elle : « ... permettez que j'aille téléphoner ? »

Et lui : « Pensez-y, vous êtes ravissante... »

Et elle : « Merci, c'est par ici... »

Et lui : « Et venez me voir à mon cabinet, je suis très bon médecin, vous verrez, les femmes ont toujours, il n'y a pas de femme qui n'ait pas... »

Et elle : « Certainement, par ici... »

Et lui : « Vous êtes fâchée... »

Et elle : « Non, pourquoi, combien est-ce que vous doit Georges exactement ? »

Et lui : « Vous n'allez pas croire que j'ai pu penser une minute... »

Et elle : « Non, bien sûr, combien... »

Et lui : « Ecoutez... »

Et elle : « Combien... »

Et lui : « Ecoutez, vous ne pensez pas sérieusement... »

Et elle : « Combien ? »

Et lui : « Je file, j'ai encore je ne sais combien de malades à voir, je suis crevé et j'ai encore... Je vous enverrai une garde, mais vous avez tort, vous avez eu tort de prendre ça comme ça, je suis votre ami, je voudrais... »

Et elle : « Non, pas cette porte, celle-là, oui, au revoir. »

Elle l'entendit descendre l'escalier, debout sur le palier presque complètement obscur maintenant, essayant de se dominer, y demeurant même après qu'elle eut entendu claquer la portière de la voiture et celle-ci démarrer en faisant voler le gravier et le bruit s'éloigner, décroître sur la route, et même encore après un moment elle n'était pas parvenue à s'arrêter de trembler, tremblant de colère dans le noir, et, sans regarder, d'un seul coup, sa main balaya le marbre de la console, la

tache blanche, imprécise, le vase allant se fracasser
sur le carrelage, et elle resta encore debout à la
même place, tremblant toujours, jusqu'à ce qu'au
bout d'un moment elle sentît la brûlure à son
doigt, et au même moment, en bas, la lumière
s'alluma, et Julien appelant : « Madame ? »

Et elle ne répondant pas, et Julien de nouveau
disant : « Madame ? » en même temps qu'il com-
mençait à monter les marches, la tête renversée,
essayant de voir au-dessus de lui, et elle : « J'ai
fait tomber le vase de la console en passant. Vous
monterez nettoyer. »

Mais autour de sa main le mouchoir était déjà
tout rouge et elle dut aller dans sa chambre en
prendre un autre, et quand elle eut fini de téléphoner celui-ci était rouge de nouveau, et alors
seulement elle se mit à rire, silencieusement, sans
bruit, toute seule dans le noir à côté du téléphone
reposé, disant : « Tiens : je pourrais appeler le
docteur... »

Seulement ils ne purent pas prendre le train du
soir et ce ne fut que le surlendemain qu'ils arri-
vèrent, c'est-à-dire que Louise vit la voiture revenir
vide de la gare, et presque aussitôt le téléphone
sonna, et un peu plus tard ils furent tous trois
(elle, Georges et Julien) dans l'auto roulant sur
la route de Pau, aucun des trois ne disant rien,
non pas à cause de la présence du domestique, ni,

de sa part à lui, par déférence ou discrétion, ou,
de la part des deux hommes — car il s'était sans
doute établi entre lui et Georges, pendant les vingt
ans depuis lesquels Julien était dans la maison,
une intimité, ou tout au moins une confiance, une
complicité plus grande qu'entre Georges et Louise
— par méfiance ou gêne à l'égard de la femme,
mais simplement peut-être à cause de ce fait qu'ils
étaient trois : parce que c'est seulement au-dessus
de deux que cesse la solitude, c'est-à-dire la liberté
(chacun d'eux eût probablement pu dire sans rete-
nue ce qu'il pensait à chacun des deux autres pris
séparément, mais pas réunis), ou peut-être, plus
simplement encore, parce qu'ils n'avaient vraiment
rien à dire, tout au moins qui leur parût avoir un
intérêt quelconque, qu'ils fussent deux ou trois :
et là aussi (dans cette chambre d'un hôtel en face
de la gare où ils pénétrèrent une heure plus tard)
les volets étaient tirés, de telle sorte que Louise
aurait pu avoir l'impression de n'être pratiquement pas sortie de la maison, d'être seulement
passée d'une pièce à une autre (à peine, entre les
deux, comme entrevu entre deux portes dans un
irréel halo, une irréelle et aveuglante débauche de
lumière, le défilé des champs, la terre plate filant
de part et d'autre de la route, avec çà et là ses
paysans surpris, immobiles, figés dans leurs éter-
nelles postures d'éternel travail, entraînés, aspirés,

disparaissant à une vitesse foudroyante, les haies, les rideaux d'arbres tirés l'un après l'autre, s'ajoutant, se superposant, jusqu'à ce que la lumière parût éclater, se fractionner en une multitude de plans, de dièdres, de facettes, de murs, et les absorber) : deux pièces closes, donc, deux silences, et là aussi il y avait une pendule sur la cheminée, arrêtée il est vrai, probablement même détraquée, ne figurant sans doute là que pour mémoire, peu important du reste la position des aiguilles sur le cadran, l'essentiel étant qu'il y eût un cadran et des aiguilles, c'est-à-dire l'idée d'un circuit fermé sur lui-même et inlassablement reparcouru, le cadran ici ne se trouvant pas au centre d'un cénotaphe marmoréen mais placé sur le côté du socle supportant une bergère à houlette revêtue d'une ample robe de métal doré et se tenant assise, ou plutôt demi-couchée, gracieusement appuyée sur le boîtier renfermant le mécanisme, le tout — socle, robe, houlette, coiffure et l'attitude — dans ce style rococo et poudré, comme si décidément toutes les pendules semblaient avoir été fabriquées en série par ce même siècle philosophe, morbide et enrubanné pour la décoration cassandresque des salons et des chambres d'hôtel (où point n'est besoin sans doute de savoir l'heure — puisque le garçon vous réveillera — mais d'avoir constamment présente à l'esprit la conscience du temps en train de s'écouler, et, dans les hôtels qui, comme celui-là, se trouvent près d'une gare, cet écoulement prenant une allure solennelle du fait de n'être plus, là, comptabilisé, grignoté par de minuscules rouages, mais marqué par le lent déplacement des aiguilles monumentales et lumineuses suspendues dans la nuit au fronton ou sur le beffroi de la gare, emplissant tout entier le rectangle de la fenêtre, conférant, avec l'aide de la nuit, un caractère monumental à ce temps qui s'écoule, noir, épais, dans un incessant et catastrophique tapage de tampons entrechoqués, de grondements, de sifflets, comme s'il était fait d'une matière aussi dure que le métal, capable de broyer et de détruire ; entendant donc le temps geindre, cogner, ahaner, cheminer sans trêve dans le noir (et, dans les instants de silence, lugubrement ponctué par les lointains et sporadiques meuglements de bœufs oubliés sur une voie de garage) tandis que la lugubre et frivole pendule Louis XV détraquée pour toujours, aux aiguilles immobilisées pour toujours, et le fatidique et cyclopéen cadran lumineux emplissant la fenêtre comme une sorte d'astre voyeur, se trouvent là pour imprimer avec insistance dans l'esprit du voyageur ou des amants clandestins cette furieuse et haletante angoisse du provisoire, du limité, conférant même au plaisir son caractère tragique — qui est d'avoir, bref ou long, une fin), et comme ils s'avançaient

tous trois dans la chambre, Louise regardant donc
la futile bergère, comptable enrubannée du plaisir,
accoudée au temps détraqué, les plis de sa jupe
dorée luisant dans la pénombre, puis le lit, l'oreiller
où reposait non pas maintenant le crâne nu, pathétique, la simple boîte d'os, mais, sous la chevelure
flamboyante ou plutôt orangée, le visage peint de
Sabine (où peut-être le bleu-noir autour des yeux
était cette fois naturel et non pas artificiel, mais
l'habitude de le voir peint faisant toujours penser
à quelque fard) et, à côté du lit, le gros homme,
immobilisé dans la position où il se trouvait quand
ils avaient frappé, debout, en bras de chemise et
bretelles, avec son ventre monstrueux et difforme
porté devant lui ou plutôt en avant de lui comme
une chose étrangère, et, dans les mains, la compresse fraîche — une serviette pliée, mouillée au
lavabo et essorée — qu'il s'apprêtait à lui remettre
sur le front, les dévisageant tous trois d'un œil
terne, morne (comme celui d'une personne qui
lirait ou relirait des noms, des mots parfaitement
connus, mais sans leur trouver ou plutôt sans en
attendre la moindre signification), seulement empreint d'une sorte d'indicible et morne fatigue (ou
exaspération, ou résignation ?), au bruit qu'ils
firent, la tête gisant sur l'oreiller releva ses paupières bleues, mais sans bouger, s'arrêtant presque
aussitôt, laissant filtrer par une mince fente

(comme si d'ouvrir tout à fait les paupières eût dépassé ses forces) un regard mourant, au-delà des larmes, du désespoir, et alors sans doute l'un d'eux dut demander :

« Comment est-ce arrivé ? » (ou peut-être personne, aucun d'entre eux, peut-être seulement leurs visages, ou peut-être encore n'avait-elle pas attendu, s'était-elle mise à parler — à gémir — dès qu'elle avait entendu s'ouvrir la porte), parce qu'ils se trouvaient maintenant en train d'écouter la vieille femme, la vieille reine de tragédie, peinte, fardée et flamboyante, couchée sur son lit d'apparat, la voix mourante aussi, éplorée, blanche, basse, à peine audible, comme si le souffle qui la portait devait être chaque fois le dernier, ou encore comme ces voix qui ont tant pleuré qu'elles sont parvenues à ce registre calme, au-delà des cris, des imprécations, des inflexions tragiques, paisibles, trop paisibles, expliquant, racontant avec une sorte de détachement comment ce chapeau dans lequel, comme chaque fois qu'elle voyageait, elle avait (par précaution, ruse contre d'éventuels voleurs susceptibles de s'introduire la nuit dans une cabine de wagon-lits) dissimulé ses bijoux, avait basculé, déversant son contenu d'émeraudes, de diamants et de perles dans le lavabo, où tout avait disparu par le tuyau d'évacuation ; et tout en parlant elle fit un signe, leva la main, et le gros homme se pencha, posa avec précaution la serviette humide sur son front, le bras à la peau grise qui reposait sur le lit s'élevant, la main dolente ajustant la compresse, les cinq ongles rouges se détachant, sanglants, sur le linge blanc, puis la main redescendit, sur le même rythme épuisé, dolent, mais implacable, se déplaçant avec certitude sur le drap, saisissant quelque chose, l'élevant, le brandissant, et ce fut alors qu'ils virent la carte.

Elle (la vieille reine) se remonta sur ses coudes, cala son oreiller, disant : « Venez voir », disant : « Julien, regardez... », disant : « Ce doit être à peu près ici... », l'ongle rouge désignant, soulignant d'un trait creusé dans le papier un point précis sur la carte : et, comme ils se penchaient, ils purent voir qu'elle était neuve, pensant : « Donc elle a eu assez de présence d'esprit pour d'abord remarquer l'endroit, et ensuite le noter, et ensuite envoyer acheter cette carte dès son arrivée ici, et cela malgré les larmes, la pâmoison, la migraine, et non seulement la migraine mais encore... » Et chacun d'eux cherchant à identifier l'odeur, jetant autour d'eux de furtifs coups d'œil jusqu'à ce qu'ils aient compris : pas de petit verre, mais les deux tasses sur le plateau du petit déjeuner encore posé à côté d'elle sur le lit, et dans le fond de l'une les miettes détrempées de pain ou de croissant, mais dans l'autre un reste de liquide jaune, doré, limpide, et

du reste ils n'avaient pas besoin de renifler car en
se penchant un peu Louise la vit, à peine dissi-
mulée derrière un vêtement, sur la tablette inférieure de la table de chevet : une de ces bouteilles
de poche, plate, avec son étiquette bleue aux trois
étoiles blanches (et le liquide dedans descendu au
dernier tiers), achetée sans doute par le garçon
d'étage en même temps que la carte et le tube
d'aspirine, et au même titre, quoique cognac et
carte fussent probablement plus nécessaires et en
tout cas plus efficaces que l'aspirine et les compresses, l'un et l'autre, ou l'un complété par l'autre,
étant seuls capables de lui insuffler cette indomp-
table et victorieuse certitude (ou inconscience)
que possèdent les fous ou les ivrognes, et qui dans
ce moment lui faisait froidement expliquer aux
trois hommes ce qu'ils allaient avoir à faire (c'est-
à-dire reprendre le train en sens inverse jusqu'à
la gare la plus proche de l'endroit supposé où les
bijoux devaient se trouver éparpillés sur la voie,
embaucher ce qu'ils pourraient trouver en fait de
volontaires au village voisin et arpenter mètre par
mètre ballast et fossés en surveillant à la fois le
sol et leur équipe d'hypothétiques volontaires, de
façon qu'aucun d'eux ne cède à la tentation d'en-
fouir au fond d'une poche ce qu'il pourrait trouver) ; et plus tard, les trois hommes partis, Louise
(c'était elle qui maintenant allait du lavabo au lit,

trempant, essorant, renouvelant les compresses sur le front ridé) écoutant toujours la même voix calme, assurée, désespérée, disant : « Mais ce n'est pas cela. Deux millions de bijoux. Bien. On les retrouvera ou on ne les retrouvera pas » (et plus tard encore Louise devait se demander de quelle certitude, de quelle obscure et impavide prescience — puisée à une source qui n'était pas seulement le goulot de la bouteille étoilée — étaient faits ce calme, cette royale sérénité : car on les retrouva, et là où elle l'avait dit, et tous, ou presque tous, les montures tordues, brisées ou quelquefois même arrachées, mais les pierres toutes là, à l'exception d'une émeraude et de quelques perles). « Mais ce n'est pas ça, ce n'est pas pour deux millions de bijoux que... Non : savez-vous ce qu'il a fait là-bas ? »

Et Louise : « Qui ? »

Et elle : « Votre beau-père, Pierre. Savez-vous ce qu'il avait fait ?... Il avait retenu deux chambres. »

Et Louise : « Mais... »

Et elle : « Deux chambres, il a dit qu'à notre âge nous nous reposerions mieux... »

Et Louise : « Mais, mère, vous savez que son traitement là-bas le fatigue toujours beaucoup, il... »

Et elle : « Le fatigue ! Croyez-vous que je ne

sois pas fatiguée, moi ? Croyez-vous que lorsqu'on
est mari et femme depuis plus de quarante ans et
que pendant quarante ans on a toujours dormi
dans le même lit, que ce soit chez soi ou à l'hôtel,
et que tout à coup, sans aucune raison, on retient
deux chambres dans un hôtel où tous les étés
depuis quinze ans on nous réserve la même... »

Et Louise : « Mais voyons, mère... »

Et elle : « Parce que ce n'est pas la première
fois qu'il essaie... Il y a cinq ans déjà, tenez, c'était
un peu avant votre mariage, il avait déjà voulu,
il voulait s'installer dans la chambre bleue et que
moi je reste... Il avait déjà essayé de dire qu'à
notre âge... Je me rappelle que j'en avais parlé à
Marie... Maintenant, de vous à moi, est-ce
qu'elle... »

Et Louise : « Le docteur... »

Et elle : « Quatre-vingt-quatre ans, mais il a dix
ans de moins qu'elle, et moi encore moins, je ne
suis pas encore... Croyez-vous que l'on puisse dire
qu'à notre âge, comme il le prétend, voudrait me
faire croire... C'est de ça que je suis malade, pas
d'avoir perdu quelques bijoux, qu'est-ce que ça
peut faire, quelques bijoux... Ecoutez, toute notre
vie il m'a trompée avec n'importe qui, la première
venue, n'importe laquelle de ces filles, ces soi-
disant étudiantes qui allaient suivre ses cours à
la Faculté rien que pour montrer leurs jambes...

Toute notre vie n'a été que ça, mais j'ai attendu, j'ai attendu, et quand j'arrive à un âge où enfin je pourrais, où n'importe quelle autre femme pourrait se dire : J'ai tout supporté mais j'ai gagné, j'ai tout admis mais en fin de compte c'est moi qui ai gagné, alors voilà qu'il essaie, et au moment même où sa propre sœur est en train de mourir... Est-ce que le docteur pense qu'elle en a encore pour longtemps, je veux dire que ça va durer longtemps, ces choses-là sont tellement pénibles, s'il n'y a rien à faire je me demande à quoi bon s'obstiner, prolonger la vie de quelqu'un quand on sait que de toute façon, et si toutefois à ce moment-là on peut encore parler de vie, et en ce qui concerne cette pauvre Marie si tant est que l'on puisse dire qu'elle ait jamais vécu, pauvre femme... Maintenant il faut tout de même nous remuer, nous secouer, nous n'allons pas rester là jusqu'à... Pourrez-vous conduire ?... Je veux dire, autrement qu'à cent vingt à l'heure comme Georges, je ne peux pas le supporter, je me demande quel plaisir, et en plus cette migraine... Tenez, aidez-moi, je suis fatiguée. Mais d'abord je voudrais que vous me coiffiez... » Il était près de midi maintenant, et elles refirent en sens inverse le trajet que la jeune femme avait parcouru trois heures plus tôt en compagnie de Georges et du domestique, retrouvant de nouveau la lumière

éblouissante qui semblait conférer au monde (le
ciel, les prés, les arbres) comme une sorte d'irréalité, d'incrédibilité au sortir de la chambre d'hôtel
plongée dans la pénombre, avec ce lit défait où la
vieille femme aux cheveux rouges et à l'haleine
fleurant le cognac ressassait de sa voix dolente et
désespérée ses éternels griefs, comme une bouf-
fonne parodie de l'amour, en une sorte de lamento
monocorde, obstiné, pathétique, se poursuivant
tandis que Louise la peignait, l'aidait à s'habiller,
puis quand elle fut assise sur le siège, à côté d'elle,
repeignée, repoudrée, replâtrée, parlant toujours
sur ce même ton de femme outragée, torturée,
rongée comme par une sorte de cancer, indifférente à la verte campagne de septembre qui filait
de part et d'autre de la route, comme si le ciel,
les champs, les arbres, n'existaient pas, étaient
totalement démunis de réalité, de sorte que ses
propres paroles et elle-même, avec son maquillage, ses ongles, ses cheveux aux couleurs violentes, semblaient (comme dans un film dont la
partie sonore serait mal synchronisée avec le
déroulement des images, les personnages parlant
alors avant ou après leur bouche, comme à côté
de leur bouche pour ainsi dire, agissant à côté
de leurs corps), semblaient participer de cette
même irréalité, sans doute parce que le propre de
la réalité est de nous paraître irréelle, incohérente,

du fait qu'elle se présente comme un perpétuel
défi à la logique, au bon sens, du moins tels que
nous avons pris l'habitude de les voir régner dans
les livres — à cause de la façon dont sont ordonnés
les mots, symboles graphiques ou sonores de choses, de sentiments, de passions désordonnées —,
si bien que naturellement il nous arrive parfois
de nous demander laquelle de ces deux réalités est
la vraie. Et, de même, plus tard, elles se tinrent
toutes deux debout au pied du lit, contemplant
avec une sorte de stupeur (Sabine, qui ne l'avait
pas encore vu, aussi bien que Louise qui, elle,
l'avait quitté à peine quelques heures plus tôt :
parce que l'imagination ou la mémoire — même
fraîchement impressionnée — ne fonctionnent
somme toute jamais que comme des auxiliaires de
l'organisme travaillant à digérer, s'assimiler, faire
siens — par avance ou après coup — événements
ou émotions, de façon — exactement comme pour
les aliments — à les rendre sinon profitables, du
moins tolérables), contemplant ce qui, dans ce
moment, leur semblait être moins un visage
humain (et encore moins un de ces visages fami-
liers, inoffensifs, si connus qu'on ne les voit plus)
qu'une chose : le masque austère, hautain et cartonneux de Ramsès II, et dépourvu de cette
innocuité que confèrent non seulement la mort
mais le temps, les siècles : empreint au contraire

d'une sorte de violence, fermé, presque hostile, les yeux clos, comme si la mourante se concentrait à l'intérieur d'elle-même non dans une suprême méditation, mais comme parvenue à cette conviction de l'inutilité de toute méditation en même temps que de toute bienséance, et par conséquent rejetant tout ce qui était étranger (pensées, monde extérieur, gens) à cette lutte, ce corps à corps exténuant qui tirait de la fragile carcasse ce râle de géante, formidable, indécent ; et, à la fin, Sabine bougea, se détourna, disant :

« Pauvre Marie ! », déjà en mouvement pour quitter la pièce, sa main s'élevant. s'écartant d'un geste découragé, impuissant, et chasse-mouche, comme pour éloigner d'elle on ne savait quoi de gênant, d'importun, la voix trahissant, par-delà la pitié, comme une secrète réprobation, un secret scandale : futilité, indifférence ou contrariété sans doute exagérément affichées et non pas tant à l'intention des témoins (Louise et la garde) qu'à la sienne propre — ce que nous appelons nos défauts et condamnons à ce titre n'étant le plus souvent que nos plus précieuses qualités, c'est-à-dire ce qui nous permet de survivre.

Et ce fut tout. Et sans doute n'y avait-il rien d'autre à faire ni à dire, et même moins encore, en tout cas en ce qui concerne les paroles. Et le lendemain, vers la fin de la journée les trois

hommes furent de retour, mais Pierre les laissa
sur le perron, en train de montrer à Sabine le
petit sac de toile, comme ceux dans lesquels les
boulangers vendent la farine de gruau, et sans
doute acheté et vidé de son contenu sur place, dans
la boulangerie même ou sur le ballast, car quand
ils le retournèrent sur la table un peu de farine
blanche tomba encore avec les bijoux, les montures broyées : mais lui n'était déjà plus là, traversant d'une traite le vestibule, entreprenant de
hisser son énorme masse dans l'escalier, ahanant,
s'élevant marche après marche, mais sans faiblir
ni marquer de temps d'arrêt, même quand il fut
parvenu sur la dernière, traversant aussi le palier
sans ralentir, poussant la porte, s'arrêtant enfin et
se tenant là, à la place même où Sabine s'était
tenue trente heures plus tôt, cramponné au bois
du lit, essayant de retrouver sa respiration, les
deux souffles rauques luttant un moment dans la
chambre silencieuse (et, semblait-il, comme poussiéreuse, comme si — était-ce le fait des minuscules corpuscules en suspension tournoyant lentement dans la rigide et à ce moment presque
horizontale poutre de soleil en forme de T ? —
comme si on soulevait chaque fois en y pénétrant,
comme dans ces sépultures profanées, un invisible
et furieux assaut de cendres : ossements, offrandes
et fards intacts après des millénaires se pulvéri-

sant, se volatilisant à l'entrée de l'intrus), jusqu'à
ce que son souffle à lui s'apaisât par degrés, laissant place de nouveau à la respiration monstrueuse
qui semblait, par la volonté de quelque dieu far-
ceur, burlesque et macabre, avoir élu domicile dans
cette forme de plus en plus amenuisée, gisant de
plus en plus plate sous le drap. Ce fut tout. Il
ne dit même pas « Pauvre femme », ou « Pauvre
Marie ». Il ne dit rien. Restant là à la regarder
bien après qu'il eût retrouvé son souffle, si longtemps qu'à un moment la garde (c'était une petite
bossue, sans âge déterminé — c'est-à-dire plutôt
jeune que vieille, mais pourtant pas jeune, peut-
être à cause de la bosse — et qui semblait appartenir par naissance, par une sorte de conditionne-
ment pré-utérin, à une espèce, une caste, un corps
spécial : celui des gens qui ont pour fonction non
de guérir ou même de soigner, mais d'aider à
mourir : allant d'une maison à l'autre comme la
mort elle-même, affable, propre, douce, avec sa
blouse blanche pliée dans son sac et qu'elle revê-
tait dès le vestibule, sa bosse, son visage sans âge
discrètement fardé, sa douceur, son maintien et
ses gestes mortels), si longtemps donc que la
garde bougea, avança une chaise, disant : « Monsieur... », disant : « Vous serez mieux, vous... »,
mais lui ne paraissant pas l'entendre, ni même
sentir son contact quand elle lui toucha le bras, et

alors elle cessa de s'occuper de lui, prit le parti
de s'asseoir, se relevant presque aussitôt, s'avançant vers le chevet du lit, essuyant avec précaution la bouche, les yeux et les tempes de la tête
masculine (ou plutôt sans genre, sans sexe), par-
cheminée et chauve, posée sur l'oreiller, et quand
elle se releva elle le vit qui s'éloignait, lourd,
pesant, franchissant la porte sans se retourner et
disparaissant.

Et après cela les choses se stabilisèrent, s'équi-
librèrent à partir de cette nouvelle donnée :
jouant, faisant son office cette sorte d'estomac
d'autruche aux capacités illimitées, ce formidable
appareil à assimiler toute situation nouvelle que
sont, non seulement l'homme, sa conscience, mais
le tout (gens, objets, arbres, ciel) contenu dans
cette conscience, reflété par elle, c'est-à-dire à la
fois la constituant et l'enfermant ; la modification
— ou la disparition — d'un des éléments étant
aussitôt compensée par une série d'infimes modi-
fications (contractions ou dilatations) en chaîne
des autres parties composantes, de sorte que se
reforme, dans l'instant même, un autre tout, diffé-
rant par sa composition, mais dont le poids, le
volume total sont exactement les mêmes.

Et tout au plus cette sorte de torpeur, d'engour-
dissement, la somnolence du boa : dans la languide lumière de septembre vibrant doucement,

les arbres se tenant immobiles, étincelants, majestueux, et l'odeur sûre des poires suspendue, les
lents nuages, les lentes journées se succédant,
passant, englobant feuillages, collines, et la maison au sommet de la colline, la façade claire se
dressant entre les frondaisons, inexpressive, énigmatique, participant, semble-t-il, elle aussi, de
cette torpeur, la vie (car elle est habitée, puisque
la plupart des volets sont ouverts et que l'on peut
même voir les rideaux garnissant les fenêtres)
ne se manifestant que par de rares, sporadiques,
insignifiantes et brèves apparitions, tellement
minuscules dans le temps et l'espace (comme
dans les jardins de ces villas où réside quelque
homme d'Etat malade ou déchu, quelque reine
répudiée, et que guettent jour et nuit, juchés sur les
toits des villas voisines louées à prix d'or, une
armée de reporters rivaux munis d'appareils aux
objectifs télescopiques qui valent eux-mêmes plus
cher que leur propre poids d'or, tout cela pour
quelques clichés flous démesurément agrandis sur
la première page d'un journal ou d'un magazine
et sur lesquels une flèche désigne une dérisoire
et insignifiante silhouette aux contours indistincts, appuyée sur une canne ou furtivement
surprise entre deux haies), tellement minuscules
qu'elles semblent encore accuser cette énorme
disproportion entre nos actions et l'immensité au

sein de laquelle elles sont noyées (de même que,
la nuit, nous pouvons voir, de l'autre côté de la
rue, une pièce dont nous savons qu'elle est occupée puisque l'électricité y est allumée mais dont
l'occupant — et quelquefois même une fraction
seulement de son corps — n'est visible que par
instants, tandis que le reste du temps nous apparaît seul le décor vide, vacant, disponible, semblant attendre l'entrée d'acteurs qui ne viennent jamais, et qui, même lorsqu'ils viennent, s'attardent,
se tiennent dans le champ de notre regard, loin
de résoudre le mystère, l'épaississent encore, car
incapables que nous sommes, du fait de l'éloigne-
ment, de compléter leur comportement, ou plutôt
de remédier à leur absence de comportement par
les commentaires de leurs voix, incapables même
le plus souvent de voir même remuer leurs lèvres,
ils nous paraissent figés dans une immobilité —
dos de femme interminablement debout devant
l'évier, homme lisant un journal dont il ne tourne
une page qu'à de longs intervalles, ou encore assis,
sans bouger, devant une table, absorbé tout entier
dans quelque minuscule tâche — écrire, compter ?
— à la fois énigmatique et angoissante, probablement parce que la gesticulation des acteurs,
le bruit rassurant des voix ou l'animation de la
rue nous ont habitués à confondre vie et mouvement) : donc, derrière le massif de fleurs aux

teintes chaudes (rouges, jaunes, brunes et oran-
gées), la façade blanche, déserte, et rien que le
paresseux balancement de l'ombre que projette la
branche du grand cèdre, et peut-être, à un moment,
un balai ou un plumeau apparu à l'une des fenêtres du premier, secoué, disparu sans que l'on ait
pu voir beaucoup plus que la main — avec peut-
être l'avant-bras — qui le tient, et ensuite, de
nouveau, un long moment sans que rien d'autre ne
bouge que l'ombre de la branche en train de se
rétracter insensiblement, et peut-être, plus tard,
une femme portant une ombrelle — Sabine ? —
apparaissant sur le perron, parlant derrière elle à
quelqu'un qu'on ne voit pas, à l'intérieur de la
maison, et qui, toujours invisible, referme la porte-
fenêtre, le soleil brillant une fraction de seconde
dans les vitres de nouveau noires l'instant d'après
tandis que Sabine descend les marches, longe la
façade, disparaît, et presque aussitôt le bruit —
mais seulement le bruit — de la voiture démarrant, ralentissant avant de s'engager sur la route,
s'enflant de nouveau, décroissant, s'éteignant, et
plus tard encore — l'ombre de la branche du
cèdre ne touche alors plus la façade — la forme
lourde et lente d'un homme — Pierre ? — franchissant la même porte vitrée, descendant à son
tour les mêmes marches, mais tournant à droite,
se dirigeant péniblement, une liasse de feuilles

à la main, à travers la pelouse vers le kiosque aux verres multicolores (vert, rouge, violet, jaune) que l'on aperçoit au bout de l'allée de chênes, et plus tard encore (pendant ce temps l'ombre pointillée du tilleul, plus transparente que celle du cèdre, a presque atteint la première fenêtre de gauche, le soleil jouant à travers elle comme à travers un tamis dont les trous s'ouvriraient et se fermeraient sans trêve, posant et effaçant sans trêve les lunules de lumière) de nouveau le bruit de l'auto, celle-ci surgissant (et du fait que l'on ne peut, de loin, distinguer ses occupants, semblant se mouvoir, tourner, s'arrêter d'elle-même, douée d'une vie — si celle-ci se préjuge par le mouvement — propre, ses deux occupants, si on pouvait les voir, ne manifestant aucune activité apparente, car ils sont assis, immobiles — même le chauffeur aux mouvements d'une amplitude infime par rapport à la vitesse, aux changements de direction de la voiture — jusqu'à ce qu'ils apparaissent, une jambe, puis le corps tout entier, hors de la carrosserie), la même femme — Sabine — se dirigeant vers le perron (et c'est seulement lorsqu'elle a déjà parcouru quelques mètres que parvient, décalé, le bruit de la portière de l'auto claquée derrière elle), le chauffeur — le domestique ? — disparaissant en même temps au coin de la maison, la voiture noire et luisante restant

alors là, comme abandonnée, oubliée, entre le
massif de zinnias et la façade, pendant que l'ombre (les clignotantes pastilles de lumière s'allu-
mant et s'éteignant sans trêve) a le temps de glisser sous les fenêtres du premier étage, disparaît
à son tour, la façade étant de nouveau nue, blanche et vierge lorsque se déploie l'arc-en-ciel brillant (jaune, vert, indigo et un léger rouge) à
travers le scintillant rideau de gouttelettes retombant en pluie de la lance d'arrosage, le domestique
en tablier bleu et les manches retroussées lavant
la voiture à grande eau, puis l'arc-en-ciel s'effaçant, le domestique restant maintenant un long
moment penché (sans que rien d'autre ne remue
que son coude droit dans un mouvement de va-et-
vient régulier qui entraîne une légère oscillation
de ses épaules) sur les chromes, et quand il s'éloi-
gne enfin, trois ou quatre buissons d'aiguilles lumineuses scintillent sur les pare-chocs, et pendant
tout ce temps (une, deux, trois heures ? depuis
que l'ombre du cèdre a disparu, qu'un bras a secoué
le balai, que Sabine est partie en ville, que Pierre
s'est éloigné vers le kiosque, que la voiture a été
de retour, que le domestique l'a astiquée) les volets
de la troisième fenêtre du premier étage sont restés clos ou plutôt presque clos, dans cette position
qui laisse seulement passer (dessiné par l'intervalle
entre leurs bords internes et celui entre leurs

bords supérieurs et le cadre de la fenêtre) le T
de soleil rampant lentement à travers la chambre,
reptilien, patient, immatériel, se brisant en escalier, se fractionnant, se reconstituant à mesure
qu'il passe d'un meuble à l'autre jusqu'à ce qu'il
meure enfin le soir, ou plutôt s'efface, simplement,
sans cesser d'exister, de nouveau là le lendemain
matin, implacable, sorte de Mané Técel Pharès
tracé d'un doigt de feu : d'abord un point, puis
un second, puis les deux grossissant, se rejoignant,
dessinant un trait, puis le trait lui-même prenant
forme tandis que ses contours se précisent, l'une
des extrémités s'effilant en pointe tandis que la
base s'élargit, s'allonge et qu'il en jaillit la branche verticale venant frapper le dossier du fauteuil
où somnole la bossue (comme dans ces compar-
timents de chemin de fer où le voyageur exténué,
encore endormi, passe et repasse sur son visage
la main cherchant à écarter non pas tant la lumière
que cette chose tiède et visqueuse qui semble collée à sa peau, et ouvrant enfin les yeux, les refermant, aveuglé, les rouvrant, découvrant, encore
très bas sur l'horizon, le soleil au-devant duquel
courent les successifs plans d'arbres animés de
vitesses différentes, depuis les plus proches de la
voie fuyant, indistincts, en un rideau déchiqueté,
jusqu'aux plus lointains, presque immobiles, et,
entre eux, juxtaposés, dérivant parallèlement en

se dépassant, boqueteaux et haies, archipels entraînés dans une sorte d'immense et lente débâ-
cle sur la terre liquide et inconnue : et alors cette
terrifiante révélation qu'il (le voyageur) a franchi
le seuil d'un nouveau jour, d'autant plus vertigineuse qu'à l'intérieur du compartiment, à part le
monotone et léger balancement d'une étiquette
à la poignée d'une valise ou du niveau du liquide
dans une bouteille, tout — et lui-même dans cette
position passive, fœtale en quelque sorte, qu'il a
d'instinct retrouvée dans son difficile sommeil :
le corps affaissé, douloureusement recroquevillé
dans le coin de la banquette comme par une nostalgie du sein maternel, de protection, de non-
agir —, d'autant plus, donc, que tout concourt à
renforcer cette paisible et illusoire sensation d'immobilité ou plutôt d'immuabilité cherchée dans le
ventre du sommeil, de sorte qu'au contraire de
ces voyageurs des récits d'anticipation emportés
dans le calme intérieur d'une fusée lancée à une
vitesse supérieure à celle de la lumière et qui
auraient, dit-on, le privilège de remonter le cours du
temps ou tout au moins de le freiner, il comprend
tout à coup avec une sorte d'aigre déchirement,
d'impuissant et fulgurant désespoir (tout en
regardant d'un œil morne s'enfuir collines, maisons, forêts, champs, clochers, châteaux et parcs
voguant à la dérive) que ce n'est pas tant le train

qui pendant la nuit faussement protectrice l'a
emporté d'un endroit à un autre, et qu'il s'est moins
rapproché de nouveaux rivages et de nouveaux
horizons que de sa propre destruction), la bossue,
donc, ouvrant alors les yeux (« Mais je ne dors
pas vraiment, vous savez : c'est une question d'habitude... Non, je ne dors pas non plus pendant la
journée, je n'en ai pas besoin, et la nuit, dans mon
fauteuil, je ne dors pas réellement, quoique je me
repose comme si je dormais... », et sans doute
disait-elle vrai, semblable, avec sa bosse, son
visage discrètement fardé, sa voix douce, sa vigi-
lance, à une sorte de personnage mythologique
comme celui justement qui possédait ce corps
couvert d'yeux, de telle sorte que plusieurs d'entre eux étaient toujours ouverts et qu'il pouvait
s'assoupir sans cesser de surveiller la blanche
génisse, avec cette différence qu'ici, dans cette
chambre, les yeux invisibles dont elle était pourvue guettaient pendant son sommeil non l'amante
d'un dieu mais, comme une vieille et familière
connaissance, les progrès de la mort), retrouvant
en face d'elle exactement à la même place sur
l'oreiller le crâne nu, la main décharnée et jaune
— la patte de poulet — allant et venant sans trêve,
défroissant sans fin les plis imaginaires du drap
sur la poitrine aussi plate qu'une poitrine d'homme, comme si, au fur et à mesure qu'elle prenait

possession de ce corps, la mort avait pour effet
(à la façon de ces spécialistes qui, en Amérique,
s'attachent à dépersonnaliser les défunts, les emportant dans des laboratoires spéciaux d'où ils les
ressortent, après traitement, souriants, fardés, et
inhumains) de la dessexuer, la voix elle-même, lorsqu'elles l'entendirent (le troisième ou le quatrième
jour, un matin, et Louise en train de s'entretenir
avec la garde qui s'apprêtait à partir), rauque, ou
plutôt rocailleuse, asexuée elle aussi, en ce sens
qu'elle semblait appartenir à une de ces créatures
imaginaires, ni homme ni femme, quelque Cyclope
enroué, la garde et Louise sursautant (c'était la
première fois depuis qu'on l'avait portée là qu'elle
parlait, ou plutôt semblait vouloir parler), se
retournant d'un même mouvement, rencontrant le
regard des deux yeux maintenant grands ouverts,
fixés sur elles, ou plutôt sur Louise, la main non
plus allant et venant sur le drap mais dressée
maintenant, immobile, comme une sorte de scep-
tre, et de nouveau l'espèce de grondement caver-
neux se fit entendre et la bossue (car sans doute,
de même qu'elle possédait cette faculté de veiller
les mourants tout en dormant, possédait-elle aussi
celle de les comprendre, de pouvoir communiquer
avec eux, et même sans le secours des paroles :
en quelque sorte à la manière d'un médium, à
cheval, en somme, sur deux mondes, le vivant et

l'inanimé, comme une sorte d'interprète bilingue
capable de traduire un langage que personne d'autre ne pouvait entendre, ou, le plus souvent, pas
de langage du tout, disant par exemple : « Maintenant elle est bien, elle veut qu'on la laisse tranquille », ou : « Maintenant elle veut boire », sans
que le plus imperceptible changement d'expression — du moins aux yeux d'un profane — ait
modifié le masque de parchemin) disant : « Elle
vous appelle », et Louise : « Moi ? » et la bossue,
« Oui, voyez », et Louise : « Moi ? » et la bossue :
« La commode. Elle veut que vous preniez quelque chose dans la commode », et Louise : « Moi ? »
et la bossue : « Le tiroir », et, plus tard, Louise se
rappelant qu'à partir de ce moment-là elle avait
cessé de l'entendre, agissant comme si, elle aussi,
était douée de ce sixième sens, comme si elle était
capable de comprendre elle aussi, et même pas
comprendre : car ne n'était pas les paroles, les
sons indistincts provenant du lit qu'elle percevait,
mais, pour ainsi dire, quelque chose qui venait de
la main levée (quoiqu'elle ne bougeât pas), des
yeux (quoiqu'ils ne bougeassent pas, eux non plus)
fixés sur elle ; et plus que cela : sans même avoir
besoin de voir les yeux, la main : comme si celle-ci
l'avait prise par le bras, la faisait tourner sur elle-
même, la poussait vers la commode ; et maintenant elle tournait complètement le dos au lit,

mais elle pouvait toujours sentir cette pression
constante, physique, du regard et de la main, percevant comme un arrière-fond sonore, et plus
comme un commentaire que comme des instruc-
tions, la voix de la bossue disant : « Non, le second », puis : « Au fond, à droite », puis : « Oui :
la boîte », puis : « C'est ça, celle-là », puis : « Elle
veut que vous la preniez. Pour vous. Elle vous la
donne », les yeux et la main toujours posés (réellement posés, pondérables) sur sa chair : non pas
comme si la veille femme en train de mourir dans
le lit s'était tenue devant elle, avait ouvert elle-
même le tiroir et pris le coffret, la vieille boîte
à biscuits ou de berlingots (comme le jour où
elle lui avait donné la bague), mais comme si ses
mains à elle (Louise) étaient les propres mains
de la vieille femme ; elle posa la boîte en fer blanc
(plus piquetée de rouille encore, lui sembla-t-il,
que la première fois qu'elle l'avait vue, mais où
souriait toujours, décemment étendue sur l'herbe,
la dame aux nœuds bleus et au petit chien frisé),
repoussa le tiroir, reprit la boîte et se retourna.
La main était retombée sur le drap et maintenant les yeux trop clairs avaient cessé de la fixer,
le masque parcheminé de nouveau impassible n'ex-
primant rien (sauf cette chose qui émanait de lui
depuis qu'on l'avait couchée là, et qui n'était pas
de la nature de celles qu'un visage a coutume de

ou peut exprimer, mais un objet), et alors elle
entendit de nouveau la voix de la bossue, placide,
impersonnelle, sans expression elle non plus, constatant (ou traduisant) : « Elle est contente », les
paroles ou plutôt le sens des paroles contrastant
tellement avec le visage hautain, absent, où rien
ne trahissait contentement ou mécontentement,
que le son prenait on ne savait quoi d'insolite,
vaguement effrayant, Louise sursautant, regardant
la bossue pendant un instant d'un air perplexe,
presque effrayé, puis tournant le dos et sortant de
la pièce. Et, un peu plus tard, quand elle eut
ouvert la boîte, restant là à regarder son contenu,
sans y toucher, éprouvant toujours cette même
perplexité, ce même effarement, les sourcils froncés, silencieuse, et se tenant ainsi, un quart d'heure
peut-être, immobile, assise devant la boîte ouverte
posée sur sa coiffeuse, et au bout d'un certain
temps les yeux lui faisant mal, la vision se brouil-
lant, et alors, d'un doigt (du même geste sans
conviction dont on remue les cendres), déplaçant
à petits coups les objets pêle-mêle comme un jeu
de jonchets, certains (ceux sans doute jugés les
plus précieux), entourés de coton, la plupart sans
rien, jusqu'à ce que l'un après l'autre elle en eût
fait l'inventaire, soit :

une broche en forme de trèfle à quatre feuilles
en argent, chacune des feuilles portant en son

centre une minuscule — et probablement fausse
— émeraude incrustée

une bague en or ayant la forme d'un serpent

une bourse en or

une bourse en argent plus petite

un petit sac en mailles de métal noir pourvu
d'un fermoir à boules de métal également noir,
les deux boules ayant la forme d'un gland

une grande épingle anglaise en métal doré

une chaîne d'enfant en or, très fine, avec deux
médailles

une paire de boucles de souliers anciennes en
cuivre

une petite boîte ronde en métal argenté au couvercle orné d'une tête de femme à la lourde chevelure dénouée, la tête trop fine, le cou trop fragile
par rapport à l'abondante chevelure se déployant
en vague, en méandres, fleuve

une boîte en carton blanc glacé entourée d'un
lacet, blanc lui aussi sans doute à l'origine, mais
maintenant jauni et contenant :

une médaille militaire (sans son ruban), émail
et métal

une paire de petits ciseaux à broder en or rouge,
l'une des branches cassée,

un œuf en métal doré et ciselé de la grosseur
à peu près d'un œuf de pigeon, muni à l'un des

bouts d'un petit anneau permettant de le suspen-
dre, sans doute en breloque

un collier composé de rectangles de jais mon-
tés sur des agrafes d'argent

un collier de perles noires, à facettes

deux chapelets, l'un aux grains de corail taillé,
l'autre de grenats

enfin une vingtaine de boutons de toutes sortes

Et, après cela, continuant (Louise) à rester là
sans un mouvement, quoiqu'il y eût encore les
carnets (six — à dos entoilés, ou, celui du plus
mince, laissant voir les deux agrafes de métal
reliant les feuillets — réunis par un de ces joints
de caoutchouc d'un rouge gris, pourvus d'une lan-
guette, et qui servent d'ordinaire à rendre hermé-
tique la fermeture des pots de confitures) ; mais
elle n'y toucha pas, pas encore, sachant peut-être
par avance sinon ce qu'ils contenaient du moins
la nature de ce contenu, sentant monter en elle,
avec un goût de larmes, comme un désespoir, le
repoussant — ou plutôt s'efforçant de le repousser
— avec une sorte de rage, se révoltant, répétant
(mais non plus maintenant sur le ton de la surprise, de l'interrogation, comme tout à l'heure
dans la chambre) : « A moi... A moi... », puis : « De
quel droit ? Elle... De quel droit ! » puis : « Mais
je n'en veux pas. Qu'elle cherche quelqu'un d'autre, qu'elle... », puis ses yeux tombant sur la cou-

verture du premier carnet, cartonné, brun rouge, le dos couvert d'une moleskine granulée d'un noir verdâtre, lisant la suite des millésimes écrits à la suite les uns des autres, chaque chiffre séparé du suivant par un tiret, d'abord :

1922 — 1923 — 1924 — 1925
1926

puis (comme si au bout de ces cinq années elle — celle qui était maintenant en train de mourir — avait soudain décidé de faire l'économie des deux premiers chiffres, ou plutôt comme si, brusquement, le temps s'était mis à couler à une vitesse accélérée) :

— 27 — 28 — 29 — 30 — 31 — 32 — 33
— 34 — 35 — 36 — 37 — 38 — 39 — 40 — 41
— 42 — 43 — 44 — 45 — 46 — 47 — 48 — 49
— 50 — 51 — 52

comme une sorte de mur aux éléments maçonnés ou plutôt assemblés, ajustés sans la moindre fissure, le moindre interstice, quelque chose qui faisait penser à ces vestiges d'antiques constructions pélasgiques ou romaines, et qui semblent non pas avoir résisté au temps mais être en quelque sorte le temps lui-même, les encres avec lesquelles avaient été tracés les chiffres présentant d'une année à l'autre d'imperceptibles différences, comme une patine progressive, la base du mur étant paradoxalement constituée par les millésimes les

plus récents, comme si l'ensemble avait été édifié
au rebours des habituels procédés de construction,
c'est-à-dire en commençant par le haut, chaque
rangée d'années alignées étant soulevée au fur et
à mesure par des vérins pour permettre de glisser
par en-dessous la rangée inférieure, les derniers
chiffres tracés d'une écriture tremblée, difficile,
comme écrasée, fléchissant sous le poids formidable du tout ; puis Louise céda, se décida, fit sauter
le joint de caoutchouc, ouvrant au hasard un carnet, regardant sans surprise (car, cela aussi, elle
le savait avant même d'ouvrir : qu'elle allait n'y
trouver ni journal, ni mémoires, ni lettres jaunies,
ni quoi que ce soit de ce genre, c'est-à-dire qui pût
présenter quelque caractère d'indécence — et même pas d'indécence : d'absurdité, de non-sens, car
c'étaient là des sortes d'idées (tenir un journal,
écrire l'histoire de sa propre vie) qui n'étaient
même pas capables d'effleurer l'esprit de celle qui
les avait tenues) les pages uniformément divisées
en trois colonnes, les deux de droite portant
les inévitables et sempiternelles mentions : Recettes, Dépenses, celle de gauche, plus large, réser-
vée aux justifications, l'encre pâlie, jaunie en
même temps que le papier, lettres et chiffres tracés par la main ferme de cette écriture apprise
d'institutrice, aux pleins et aux déliés impertur-
bablement formés, sans concession, comme déper-

sonnalisée, empreinte elle aussi de cette inflexible
pudeur qui se refusait à tout commentaire, n'ayant
d'autre souci et d'autre raison que d'être lisible
(comme sans doute la première politesse, le premier respect de soi et des autres se traduit par
le souci d'être toujours proprement et correcte-
ment vêtu), et cela non pour témoigner, porter
plainte en appel devant quelque imaginaire tribu-
nal ou quelque imaginaire postérité, mais simplement parce que le corollaire des vêtements cor-
rects, de la propreté, était que ces choses (dépenses, recettes, voyages, maladies, ventes de foin ou
morts) soient, pour la bonne règle, consignées, en
leur temps et à leur place, et rien de plus —, lisant
donc au hasard :

JANVIER

1	Reste en caisse	700
4	Nos deux traitements	1.445
6	Pierre malade. Eugénie em- porte 800 Fr pour son voya- ge à Bordeaux	800
7	La Banque m'a remis tous les titres 6 % que je lui avais remis en juin pour échange	102
12	Un parapluie	32
14	Vendu 3 doubles de noix à 15,50 le double	46,50

17 Homme pour déblayer la
neige   20

23 Reçu de Mr. Debourg, marchand de bois, 90 Fr pour
indemnité (Pré du Brû de
Corne)   90

25 Retour d'Eugénie qui rap-
porte 560 Fr   560

les menus événements (et même pas événements :
faits, incidents, — et même pas incidents : le quo-
tidien, le tout-venant — et même pas menu : minuscule, insignifiant) ressurgissant hors du temps,
de l'aboli, à la façon de jalons plantés çà et là
dans la grise immensité sans commencement ni
fin, leur insignifiance, leur petitesse même, hors
de toute proportion avec le cadre où ils s'inscri-
vaient, leur conférant une sorte de grandeur insolite, de majesté, l'inflexible, impersonnelle et paisible écriture énumérant, récapitulant, addition-
nant non des dépenses ou des recettes évaluables
en termes de monnaie et de décimales mais, pour
ainsi dire, les immémoriales et invariables entités :
choses qui servent à se nourrir, à se couvrir, à se
chauffer, et la neige soudaine un matin d'hiver,
et l'immémorial raclement des pelles sur les trot-
toirs, et les immémoriales histoires de barrières
enfoncées, de bornes renversées, les immémoriales

contraintes : faim, maladie, vêture, tout, page
après page, année après année, Louise tournant
des épaisseurs de temps, lisant encore :

> Guillaumot a coupé les cerisiers, qui ont
> donné 6 stères 1/2 de bois. Pour les cou-
> per il demande 9 Fr du stère, ce qui fait
> pour le tout 58 Fr 50. Il m'a demandé
> de lui donner 18 Fr 50, et comme il loue
> le verger 140 Fr il redevra pour cette
> année 100 Fr 18,50

et encore :

> Départ hier de Pierre, Sabine et les en-
> fants, dépensé pendant ce mois pour la
> nourriture six personnes 1.365

tout sur le même plan — rentrées de bois, vacances, départs, notes de l'épicier ou honoraires du
docteur — : non pas la tragédie, les cris, l'acciden-
del, le spectaculaire, mais ce qui constitue pour
ainsi dire la trame même de l'existence, comme
si (de même que dans ces lettres qu'écrivent ou
reçoivent les soldats et où l'on ne trouve, en dépit
des leçons de la communale, ni ponctuation, ni
majuscules) quelque secrète connaissance, cette
rigoureuse expérience qui n'a besoin ni de livres
ni de phrases avait conduit la main tout au long
des pages, lui avait appris à ne pas faire de distinction entre le fait — l'obligation — de garnir le

L'HERBE

bûcher, de porter une robe, ou de mourir, écrivant :

SEPTEMBRE

18 Achat 6 boîtes de conserves et
port 31,50
24 *Eugénie* (souligné deux fois,
dont la seconde au crayon
rouge)
25 Réabonnement Journal 48

et à la page suivante :

OCTOBRE

16 Location champs Ferrière 40
20 Mort d'Eugénie (écrit au
crayon)
25 Cartes faire-part 70
Transport funèbre 100
+ 2 voitures à 25 Fr 50
Cercueil 100
29 Note Godin (gouttière et gi-
rouette cheminée) 50
_____
370   40

et plus tard, quand Louise se rappellera cette
période — les dix jours qui s'écoulèrent ainsi dans
la tiède agonie de l'été moribond — elle lui appa-

— 124 —

raîtra non comme une tranche de temps précise,
mesurable et limitée, mais sous l'aspect d'une
durée vague, hachurée, faite d'une succession, d'une
alternance de trous, de sombre et de clairs : la
chambre close, l'éclatante lumière du dehors,
l'exubérante et folle végétation de septembre, la
pénombre, le visage momifié, la gloire, la paix des
jours déclinants — se voyant, pouvant voir la robe
claire courant sur l'écran de la mémoire, la tache
lumineuse suivie par le pinceau du projecteur
dévalant la verte colline ou peut-être pas courant :
marchant d'un pas égal, en tout cas jusqu'après
les marronniers aux feuilles déjà jaunissantes, cer-
nées, attaquées par une bordure rousse qui com-
mence à les recroqueviller, et, dès qu'on ne peut
plus la voir, courant alors, fuyant à travers l'assourdissant concert des moineaux, n'allant pas
vers, puisque pas encore l'heure, mais fuyant le
son, le râle, les forges de Vulcain soufflant, le bruit
de forge, le cœur sautant fou d'avoir couru, les
pulsations du sang vite affluant, battant à coups
violents, ses seins se soulevant et s'abaissant tandis qu'elle se tient immobile maintenant, sortie,
échappée au râle, luttant, la colère, la révolte, luttant contre l'amère saveur des larmes, répétant,
Non non, répétant, Elle ne m'est rien elle ne
peut pas elle n'a pas le droit, face à face avec le
chat tapi, aplati sur le faîte du mur écroulé, la

brèche facile à enjamber par laquelle elle peut voir
le tournant de la route, mais vide encore, le regard
acéré et jaune fixé, comme agrippé sur elle, enfoncé comme des griffes, tous deux semblables à deux
voleurs surpris, s'épiant, coupables, les prunelles
aux étroites fentes vigilantes dans l'entremêlement
des ronces, les milliers de petites feuilles s'en
fichant pas mal, oscillant sans trêve, les branches
faiblement balancées, les nuages s'en fichant pas
mal, le bourdonnement continu des insectes tour-
billonnants s'en fichant pas mal, les tiges enlacées
des hélianthes sauvages, l'herbe sauvage, les langues de l'herbe léchant ses jambes nues, et à la
fin le chat se détournant, sans transition, détournant brusquement la tête, cessant de la regarder,
la niant, l'effaçant, la supprimant, non seulement
de sa conscience mais du monde, se désintéres-
sant d'elle comme si elle avait tout à coup perdu
toute existence, s'animant, se détendant, s'étirant,
se mettant en marche, nonchalant, son dos souple
ondulant le long de la crête du mur et sautant de
l'autre côté, disparaissant, et elle (pouvant toujours se voir avec ce recul que donne l'éloigne-
ment dans le temps, c'est-à-dire libérée de la sujé-
tion du présent, se regardant agir avec cette sorte
de condescendance un peu méprisante, un peu aga-
cée, un peu envieuse aussi, que nous éprouvons à
notre propre égard lorsque nous nous voyons après

coup, comme nous regarderions agir un enfant, un
mineur, ignorant ce que nous savons, avons appris
à la lumière de ce qui est arrivé ensuite, comme
si de savoir le futur nous conférait une supério-
rité, alors que tout ce que nous avons gagné, c'est
peut-être d'avoir un peu moins d'illusions, d'innocence, de sorte que cela n'a pas été un gain, mais
une perte) restant seule, les rayons du soleil de
plus en plus horizontaux, l'ombre envahissant la
vallée, les prés, la route, le tournant, montant lentement comme une marée, le faîte du grand arbre
un moment encore éclairé, doré, embrasé, puis
s'éteignant à son tour et l'auto — la Simca grise
— prenant le tournant, ralentissant, disparaissant
de nouveau, mais elle ne bougeant toujours pas,
écoutant s'apaiser par degrés le tapage des moineaux, un chien aboyant quelque part du côté de
la rivière, un de ces moteurs d'arrosage à deux
temps peinant pour monter l'eau dans un jardin,
l'eau murmurante, morceaux de ciel courant dans
les sillons parallèles, l'odeur mouillée de la terre
s'élevant, la paix, la nuit montant, s'étendant, un
léger brouillard bleuâtre suspendu maintenant au-
dessus de la rivière noyant les prés, le ciel du côté
du couchant passant du roux au vert, puis ardoise,
les feuilles complètement noires se découpant au-
devant tandis qu'elle peut entendre leurs deux
voix chuchotant, pressées, inquiètes et elle disant :

Quoi ? et lui : Qu'est-ce que tu as décidé ? et elle :
Décidé ? et lui : Pour nous je, et elle : Décidé il
y a longtemps que j'ai pris cette décision là et
rien ne me fera, et lui : Je, et elle : Oui oui oui,
sa voix dure, violente, toujours pleine de cette
colère haletante, et à ce moment les fenêtres
s'éclairant (maintenant la maison n'est plus qu'une
masse noire là-haut, au-dessus d'eux, parmi les
masses noires des arbres immobiles, les formes
noires et immobiles des buissons, la touffe de
bambous noire et immobile elle aussi où les moineaux se sont enfin tus, semblable elle-même à
un gros oiseau ébouriffé, endormi au milieu de la
pelouse), les rectangles de lumière orangée brutalement découpés dans le crépuscule, presque déjà la
nuit, et elle : Il faut que je, et lui répétant : Alors ?
ne desserrant pas son étreinte et elle tordant ses
épaules pour se dégager : Oui c'est oui je t'ai dit
oui alors ? S'écartant, le repoussant, se détachant...

Et elle pourra se voir pénétrant dans la salle à
manger, la scène, le tableau : Sabine et le gros
homme déjà assis (mais devant le quatrième couvert la place encore vide) tous les deux levant la
tête à son entrée avec, sur le visage, ce même air
interrogateur, vaguement effaré — ou peut-être
pas : seulement parce qu'elle sort de l'obscurité,
du noir, clignant des yeux, découvrant dans la

lumière précise les deux figures tournées vers elle,
comme surprises par un de ces flashes brutaux des
photographes, les rides semblables à des lignes
de démarcation dessinées entre les différentes
parties des visages, comme si ceux-ci n'étaient
déjà plus qu'un assemblage de chairs prêtes à se
séparer (comme sur ces dessins où sur les corps
des bêtes de boucherie sont figurées en pointillé
les limites entre les différents morceaux tels qu'ils
pendront plus tard, découpés, à l'étal du boucher),
le vieux couple (ou plutôt le vieil homme et la
femme qui, elle, refuse de se considérer comme
vieille, continue, ou plutôt s'obstine, s'acharne, se
cramponne à cette impossible maintenance, avec
sa robe trop voyante, ses ongles sanglants, son
visage peinturluré, pareil, sous les fards violents, à celui de ces vieilles putains : vaguement
effrayant, postulant non pas l'idée de plaisir ou
de volupté mais celle de quelque culte à la fois
primitif et barbare : l'ancêtre, le vénérable grand-
père du monde, l'antique et vieux phallus décoré
de guirlandes, dressé, monstrueux, solitaire, énorme, avec sa tête aveugle, son œil aveugle, sa rigi-
dité de pierre (et, dans le fond, des colombes,
des offrandes, des bêtes sacrifiées, couronnées de
fleurs, de lentes processions) : quelque chose pour
être écrit — ou décrit — en latin, à l'aide de ces
mots latins, non pas crus, impudiques, mais, sem-

ble-t-il, spécialement conçus et forgés pour le bronze, les pierres maçonnées des arcs de triomphe, des aqueducs, des monuments, les rangées de mots elles-mêmes comme maçonnées, elles-mêmes semblables à d'indestructibles murailles destinées à durer plus longtemps que le temps même, avec la compacte succession de leurs lettres taillées en forme de coins, de cubes, de poutres, serrées, ajustées sans ponctuation, majuscule, ni le moindre interstice, à la façon de ces murs construits sans mortier, les mots se commandant les uns les autres, ajustés aussi par cette syntaxe impérieuse inventée sans doute en prévision des mutilations futures et à seule fin de pouvoir être reconstitués mille ou deux mille ans plus tard, après avoir été dispersés, oubliés, enterrés, recouverts de ronces, submergés et redécouverts, épelés par la main des bergers qui suit du doigt sur le marbre du fronton dans l'herbe folle de la verte Arcadie, récités, ânonnés par les futures générations de cancres aux doigts tachés d'encre, cherchant, le feu aux joues (dans les dictionnaires tachés d'encre, aux pages cornées, à la reliure démantibulée, rafistolés, rapiécés, recouverts de papier d'emballage bleu ou beige et où des générations successives de grands frères ont déjà cherché avant eux — sorte de Bibles de la connaissance, transmises de mains en mains, et sur la page de garde desquelles les

noms successifs des possesseurs s'alignent, s'éta-
gent, maladroitement calligraphiés en des encres
jaunies), cherchant les vieux, les indestructibles
mots latins (matrone, mentule, menstrues), les
lèvres tachées de violet mordillant le porte-plume
rongé comme si, avec l'encre qui les souille, elles
suçaient sans comprendre le lait, le principe, non
pas même d'une civilisation, de la poussiéreuse
culture aux inutiles et poussiéreux bouquins, mais
de la vie même), le vieux couple, donc, réuni là
par la seule existence, la vertu, le fonctionnement,
l'obscur, aveugle et fécond va-et-vient de cette
infatigable navette fourrageant depuis le commencement des temps dans le ténébreux, broussailleux et secret vestibule de ce tabernacle qu'est
le doux ventre des femmes, et pas seulement parce
que, quarante ans plus tôt, un jeune professeur à
lorgnons et barbiche avait demandé en mariage
(ou avait été demandé en mariage par, ou plutôt
avait été amené par elle à demander en mariage)
l'une de ses étudiantes au fragile visage de Saxe
sous les lourds bandeaux de sa chevelure, mais
encore parce que deux vieilles filles (mais à l'époque ce n'étaient pas encore des vieilles filles), et
avant elles encore un vieux paysan analphabète,
avaient décidé de faire un professeur du dernier
des enfants nés, issus, jaillis de ce phallus dont
elles étaient elles-mêmes issues et qu'il (Pierre)

possédait lui aussi (ou plutôt qui le possédait, c'est-
à-dire vivait, poussait sur lui, se servant de lui en
quelque sorte à la façon d'un vulgaire terreau,
enfonçant en lui ses racines, y puisant la force de
grandir, s'ériger et projeter au dehors sa semence,
et, à cette seule fin, exigeant non seulement que
ce corps — ce terreau — soit nourri, entretenu,
soigné, mais encore que le cerveau qui commande
ce corps pense (et non seulement pour lui-même,
mais encore pour sa semence, sa progéniture, sa
descendance) aux moyens de pallier la faim, le
froid, le sommeil (et, pour un analphabète con-
damné par son ignorance à passer sa vie courbé
vers la sombre terre, apprendre à lire avait dû
apparaître comme un de ces moyens, sinon comme
le seul), préoccupations excluant par conséquent
toute autre qui ne concourrait pas à pourvoir cet
unique organe (à tel point que l'on dit « le »
membre de l'homme, comme s'il n'en existait pas
d'autre, ou comme si celui-là les résumait, les
commandait tous : les bras pour travailler et le
nourrir, les jambes pour le porter d'un endroit à
un autre), à le pourvoir donc du nécessaire, au
besoin par le rapt, la guerre, la violence et —
d'une façon générale, sinon de règle — la ruse),
le vieil homme et la vieille femme donc relevant
la tête, la cuillère arrêtée à mi-chemin entre l'assiette et la bouche, la bouche déjà ouverte (c'est-

à-dire celle de l'homme, car Sabine, pour avoir lu
quelque vingt ans auparavant dans un de ces ma-
gazines de recettes de beauté ou de santé que le
potage fait grossir, y avait, depuis, renoncé, non
qu'elle eût constaté — car elle avait néanmoins
continué à s'empâter régulièrement — la justesse
du fait, mais sans doute par un superstitieux respect de la chose lue), et, dans leurs yeux, cette
expression vaguement effarée, vaguement répro-
batrice, jusqu'à ce qu'elle entende sa propre voix
(sans seulement se rappeler si elle a entendu la
question, ni même vu remuer les lèvres de Sabine
disant : « Où étiez-vous donc ? »), sa propre voix
dire : « J'ai marché jusqu'à la rivière. J'avais besoin
de... Je... »

Mais visiblement Sabine n'entendit pas, ou ne
prit pas la peine d'écouter, soit qu'elle ne s'intéres-
sât pas à la réponse, soit peut-être même qu'elle
n'eût pas posé de question, car, tandis que Louise
s'asseyait, dépliait sa serviette, lui parvint (non
comme découlant de ce qu'elle venait de dire mais
comme la suite à ce qui avait été dit avant son arrivée, son entrée dans la pièce n'ayant en somme fait
qu'ouvrir une parenthèse maintenant refermée
Sabine reprenant) : « J'étais en train de dire : cette
émeraude. Parce qu'enfin comment se fait-il qu'on
ait tout retrouvé à part deux ou trois choses sans
valeur et, précisément, cette émeraude. Naturelle-

ment, vous me direz qu'elle a pu rouler dans un trou ou tout au fond du fossé, mais est-ce qu'un de ces hommes n'a pas aussi bien pu la mettre dans sa poche ou même l'avaler, comme j'ai lu dans un journal que font, ou du moins qu'essaient souvent de faire les nègres qui travaillent dans... Georges et Julien affirment qu'ils sont toujours restés derrière, sans jamais les perdre de vue, mais ils cherchaient eux-mêmes et un geste comme ça est vite fait, sans qu'ils aient pu s'en apercevoir. Parce qu'elle a bel et bien disparu. Naturellement, on ne peut pas prouver qu'on l'a retrouvée, naturellement on ne peut formellement accuser aucun de ces hommes, mais il me semble qu'il était bien tentant pour l'un d'eux de... »

Puis, à son tour cette fois, Louise cessa d'écouter, ou plutôt quelque chose vint s'interposer entre le bruit de la voix et elle, quoique cela, elle n'eût en réalité pas cessé de l'entendre, et non seulement depuis qu'elle était rentrée dans la maison mais encore, pensa-t-elle, même lorsqu'elle se croyait hors de portée du son, le râle, le puissant souffle de forge lui parvenant maintenant à travers le plafond, ou peut-être par la cage de l'escalier et le vestibule, franchissant deux portes, arrivant, assourdi mais distinct, comme les pulsations régulières et formidables de quelque organe installé au centre même de la maison, comme si celle dont il

émanait gisait dans une sorte de solitude royale,
pompeuse et solennelle, où la reléguait non seulement la perte de ses facultés, l'impossibilité où elle
était de communiquer, mais encore la grandeur terrible de l'action dans laquelle elle était engagée —
celle de mourir —, à la façon de ces reines aban-
données de tous en même temps qu'objets de l'attention, de la curiosité morbide, vorace et fascinée de
tous, tenues par un protocole barbare et impitoyable d'enfanter et de mourir en public : non plus,
dès lors, un acte simple, naturel, mais un cérémo-
nial, un rite ; et pendant ce temps Louise avait
attiré à elle la soupière posée sur le sous-plat à
roulettes, avait rempli son assiette, et maintenant
elle mangeait, c'est-à-dire que sa gorge déglutis-
sait docilement l'une après l'autre les cuillerées
du liquide tiède et opaque, pourvu moins d'une
saveur, d'un goût, que d'une qualité de matière
particulière — légèrement grenue — que son palais
et sa langue se contentaient d'enregistrer sans plus,
sans transmettre à l'échelon supérieur de la connaissance, son esprit tout entier occupé à se demander si elle pourrait échapper, ne serait-ce que
pendant un moment (puisque même au bas de la
colline, près de la murette, face à face avec le chat,
et ensuite, elle n'avait pu y parvenir) à ce bruit, et
non seulement maintenant mais plus tard (puisqu'il n'était même pas nécessaire que ses oreilles

entendissent), puis (sans doute le vieil homme
dut-il hausser le ton, ou plutôt ce dut être la qualité
du silence qui suivit, outragé pour ainsi dire, suf-
foqué, avant même que Sabine ne répondît, qui se
fit plus forte car, en réalité, il n'avait pas élevé la
voix, même pas relevé la tête pour la regarder,
disant seulement entre deux cuillerées de potage
et d'un ton égal, impersonnel — et avec plus de
lassitude que d'acrimonie, et plus d'ennui que de
raillerie, et plus de résignation que d'exaspération :
« Peut-être ferais-tu bien de demander à fouiller
leur merde. Est-ce que ce n'est pas comme ça que
le journal disait que l'on fait avec ces nègres ? »)
Sabine regarda le visage du vieil homme, ou du
moins ce qu'elle put en voir, car il était déjà de
nouveau penché sur son assiette tandis que le
silence s'épaississait, Sabine immobile, la bouche
ouverte — quoique son assiette fût vide et la cuillère toujours posée à côté (assiette et cuillère inutiles mais que l'on continuait à disposer chaque soir
à sa place depuis vingt ans, depuis la lecture du
fameux article amaigrissant, sans doute par obéis-
sance à une sorte de protocole, comme s'il était
tacitement entendu, convenu, arrêté entre les
domestiques, la succession de domestiques femel-
les chargées de mettre la table, que l'on devait faire
semblant de ne pas voir (les domestiques n'ayant
pas à connaître de ces sortes de choses) qu'elle

ne mangeait plus de potage, c'est-à-dire qu'elle
grossissait, c'est-à-dire — puisque l'embonpoint
était surtout fonction de l'âge — qu'elle vieillis-
sait), la bouche ouverte, donc, comme si, elle aussi,
cherchait à avaler quelque chose (peut-être simplement l'air, rien que l'air invisible qui avait servi de
véhicule aux paroles, les paroles invisibles qui
l'avaient traversé sans y laisser de traces, par
le moyen d'infinitésimales compressions et décom-
pressions, le laissant intact, prêt à resservir de
nouveau, subtil, redoutable, énigmatique et transparent messager, la pensée — les mots — n'ayant
pas besoin, comme sur le papier, d'y prendre forme,
de se matérialiser au moyen de lignes, de signes
apparents et durables, mais l'empruntant comme,
pour ainsi dire, le poisson emprunte l'eau : un simple frémissement, une simple vibration, une ondu-
lation, une fuite, le scintillement argenté d'un ventre, glauque sur glauque, le pêcheur abusé croyant
encore voir la truite enfuie depuis longtemps, cherchant, les yeux écarquillés, retenant son souffle
pour ne pas effaroucher mais surprendre, capturer
l'immatériel, l'insaisissable reflet de lumière sur
les cailloux, le sable ou les herbes du fond : rien)
et à la fin, réussissant à dire : « Que je... Tu as dit
que je devrais... »

Puis sa voix cesse. Non qu'elle se refuse à prononcer, répéter les mêmes mots, la moquerie,

l'offense, mais parce qu'il (le vieil homme assis en face d'elle) ne l'écoute visiblement plus, quoiqu'il continue à regarder dans sa direction (elle tourne le dos à la porte), la cuillère de nouveau arrêtée à mi-chemin entre l'assiette et sa bouche, mais le regard passant maintenant au-dessus d'elle, fixé sur quelque chose — ou quelqu'un — qu'elle ne voit pas, sans doute derrière elle, et quand elle se retourne elle le voit aussi, non plus maintenant derrière elle mais sur sa gauche, passant silencieusement le long de la desserte, pénétrant dans la zone éclairée : le corps efflanqué, le visage comme efflanqué lui aussi, et non pas bruni mais, semble-t-il, comme noirci, ou plutôt sali par le soleil, comme couvert d'une couche de fond de teint, comme ces gens qui se maquillent en nègres pour la Mi-Carême : non pas foncé donc, mais taché, et peut-être du cambouis en effet sur l'une des pommettes osseuses et en travers du front, dépassant sur les cheveux pâles, à peine différenciables — les taches, le cambouis — du hâle, les avant-bras, aux poils blonds décolorés eux aussi par le soleil, dépassant des manches retroussées, souillés eux aussi par le hâle et le cambouis, et étalés maintenant de part et d'autre de l'assiette, le buste revêtu de la salopette maculée de taches maintenant affalé en avant, la tête presque posée sur l'assiette, le menton touchant le rebord, de sorte que la main

osseuse et fine qui tient la cuillère ne parcourt à
chaque allée et venue qu'un trajet réduit au minimum (s'étant assis, ayant rempli son assiette sans
dire un mot, mangeant maintenant avec cette sorte
de concentration, d'avidité taciturne et méthodique
des paysans, le regard du vieil homme toujours rivé
sur lui), et au bout d'un moment le vieil homme
paraissant se rappeler sa propre cuillère, terminant
le geste suspendu, la portant lui aussi à sa bouche
et avalant, comme, pour ainsi dire, par-dessous son
regard, sans cesser un instant d'observer Georges, et la main s'abaissant, replongeant la cuillère
dans ce qui reste de potage mais restant là, ne
remontant pas, le regard toujours fixé sur la tête
dont on ne voit que les cheveux blonds pendant
presque dans l'assiette et derrière lesquels la cuillère continue son va-et-vient méthodique, et alors
Sabine se raclant précipitamment la gorge, et
disant : « Pierre... », mais le gros homme ne bouge
pas, énorme, pachydermique, continuant à regarder
Georges, et Sabine de nouveau : « Pierre, je t'en
prie, tu sais bien que...

— Que quoi ? » dit Georges.

Et Sabine : « Rien. Ton père... »

Et Georges : « Qu'est-ce qu'il y a ? »

Et Sabine : « Ton père... C'est-à-dire nous...
C'est-à-dire : j'étais inquiète, je me demandais ce
que tu... »

Et Georges : « La pompe est tombée en panne. Ce n'est pas ma faute si tout le matériel de cette foutue propriété s'en va en morceaux... »

Elle se rappellera cela : ce soir-là (ou peut-être un autre, un de ces dix dîners au soir d'un de ces dix jours qu'il fallut à la vieille femme pour arriver à, pour avoir enfin le droit de mourir), pensant (Louise) à tout ce qu'il faut pour faire non pas un homme ou une femme, mais un cadavre — une de ces choses que l'on empaquette en boîtes étanches, et enfouies ensuite en terre dans des conditions et à une profondeur réglementées en vue de la protection des populations contre les risques d'épidémies pouvant provenir de la décomposition, du pourrissement des corps, charognes et autres rebuts — et non pas seulement dix jours — ou trois, ou six, peu importe — d'agonie, mais la somme de mois, d'années, de réveils, de soirs, de nuits, d'aliments absorbés, de vêtements portés, usés : la formidable accumulation, addition, énumération tenue au jour le jour, avec la répétition monotone des fatidiques rubriques « Dépenses », « Recettes », tout de la même, correcte, impersonnelle, inflexible et pudique écriture consignant, sans marquer (sans se permettre de marquer) de différence, ressemelages, relevés du gaz et les menus ou irrémédiables désastres (Note Martin pour faire le puits d'écoulement à la cave 83 heures de travail à 2 fr. l'heure

soit 166 fr., Martin nous redevait 146 fr. sur 600
que nous lui avions prêtés, nous devons lui rendre
20 fr. Deux pelotes coton à repriser 3 fr. 20. Début
de la maladie de notre père. Une plaque de bicy-
clette 18 fr. Crépissage de la façade sur jardin
645 fr. Six douzaines d'œufs pour conserves à
5 fr. 25 soit 31 fr. 50. Médicaments (vin et pilules)
20 fr. Location du pré Boichaille 75 fr. Frais de
succession payés à Maître Fabre 2.950, j'ai pris
1.900 dans la caisse pour payer, le reste a été pris
sur mon compte en banque, j'ai retiré 1.500 fr., j'ai
ajouté 1.050 fr. aux 1.900 que je possédais, j'ai
remis 450 fr. dans ma caisse. Sciage du peuplier
coupé en janvier dernier 85 fr. Chute de neige dans
la soirée et toute la nuit, au matin il y avait 40 cm.,
le toit du petit appentis contre le bûcher s'est effon-
dré. Réparation pendule salon 21 fr.) les pages,
les colonnes de chiffres et de justifications surgissant, s'élevant, s'accumulant en une sorte de
patient tombeau élevé pierre à pierre, comme si
quelques dispositions légales, quelque administra-
tion tâtillonne et tracassière, ne permettaient à
nos os fatigués de s'allonger enfin pour retourner
à la poussière originelle qu'après avoir érigé cette
sorte de fabuleux mausolée fait de temps amon-
celé sur un peu de cendre : des cendres, du néant,
et, par-dessus, un entassement de vide dans ou sur
lequel les fantômes des actions accomplies appa-

raissent avec une désolante insignifiance, concréti-
sés non par ces ambitieuses inscriptions tracées
sur les pierres tombales mais par les dérisoires
symboles de l'argent, dans une monnaie dépréciée
qui confère aux anciens carnets de comptes, comme
aux agissements des héros balzaciens, cette sorte
de fallacieuse, risible et minuscule irréalité au sein
de laquelle généraux, banquiers, comtesses, faisans
et putains semblent s'agiter et s'entre-déchirer pour
la valeur d'une poignée de piécettes tintant dans
la poche d'un gamin.

Donc : la vieille femme — le vieux, le fragile
amas d'ossements, de peau, d'organes exténués,
aspirant au repos, au néant originel, gisant — soulevant à peine le drap — au sein, au centre de la
maison, régnant, invisible et omniprésente, non
seulement sur toutes les pièces (présidant — sans
qu'il soit besoin de nul benedicite — au repas, à la
rupture en commun du pain dans le familier tintement des couverts heurtant les assiettes, au jacas-
sement absurde de l'autre vieille femme), mais
encore les débordant, étendant sa présence, son
royaume au-delà des murs, au-delà même du râle,
comme si celui-ci n'avait même pas besoin d'être
perçu par l'oreille pour être entendu jusqu'au bas de
la colline, et même plus loin, maintenant, dans la
nuit silencieuse, la nocturne paix du jardin, des
frondaisons et des oiseaux endormis, des insectes

dans l'herbe noire, sous le ciel noir à peine plus
clair là-bas, du côté où s'en est allé tout à l'heure
le crépuscule comme par une blessure par où se
retire lentement la lumière.

Et : l'homme montagne, ou plutôt la masse difforme à l'intérieur de laquelle le vieillard se trouve
emprisonné, comme bâillonné, muré dans sa propre
chair, celle-ci occupée à se nourrir (ou plutôt se
détruire : comme si par l'effet d'une facétieuse
malédiction, d'une imbécile et mortelle revanche
de la matière, l'acte naturel — absorber des aliments — destiné à entretenir la vie aboutissait
maintenant à un résultat en quelque sorte inverse :
son lent étouffement par son excès même), le
bras au bout duquel se trouve la cuillère, puis la
fourchette, accomplissant son office sans, apparemment, se préoccuper de l'assentiment de l'esprit, comme on nourrit un idiot, un enfant : par
surprise, à son insu, d'autorité, la cuillère ou la
fourchette obligées parfois d'attendre, tenues
patiemment près de la bouche, y enfournant liquide
ou morceau en profitant en quelque sorte des
moments d'inattention, c'est-à-dire lorsque se voile,
se lasse le regard fixé maintenant non sur Georges mais sur les mains aux longs doigts déliés
et maigres, semblables à des mains de pianiste, et
paradoxalement brûlées par le soleil, souillées de
terre, de cambouis, se détachant en sombre sur la

nappe blanche, incongrues, insolites, avec leurs ongles non pas simplement sales mais complètement bordés d'un demi-cercle noir, leur peau aux sillons incrustés d'une salissure indélébile, faite, semble-t-il, pour moitié de poussière et d'huile intimement mêlées, ayant pris cet aspect non plus de tissu vivant mais de matière hybride — relevant à la fois des règnes animal et minéral — comme celle des mains de paysans ou de mécanos, de même que le fin visage émacié qui semble postuler au-dessous de lui cravate et plastron blanc surmonte, au lieu de cela — lui aussi brûlé et souillé — l'informe chemise et la salopette.

Contemplant donc (à travers ces deux seules et dérisoires fissures, les yeux, qui permettent sans doute à son esprit de se glisser, s'évader — comme si lui aussi était forcé d'agir par ruse, clandestinement, de profiter pour ainsi dire d'une faille, d'un défaut de la matière — hors de la monstrueuse prison de chair avec une sorte de lassitude, de perplexité, de songeuse incrédulité) celui dont il lui faut probablement admettre qu'il l'a engendré, c'est-à-dire tiré du néant originel, créé à partir de rien (un frottement de peau, une excitation de glandes, un prurit, un orgasme) et par un acte sinon volontaire en tout cas éprouvé, projetant hors de lui dans un spasme (semblable, assimilable à une courte mort, un brusque anéantissement : en

réalité une brève éclipse de cette lancinante conscience, comme si celle-ci cessait d'exister pendant
la durée correspondant à cette parcelle d'elle-
même qui se détache dans un foudroyant arrache-
ment dont on ne sait au juste s'il s'accomplit à
la faveur d'un paroxysme de plaisir ou de douleur
— puisque aussi bien d'ailleurs il semble que dans
ce moment se produise une confusion, l'éjaculation
étant ressentie à la fois par la chair et l'esprit
comme une sorte d'éblouissement sombre, éclatement chamarré de plumes de coq s'éparpillant
dans le cerveau de l'homme en même temps que
dans l'obscure et rouge nuit de la matrice, d'où
peut-être (fusée, explosion) l'expression popu-
laire « s'envoyer en l'air », qui semble remonter à
ces mythes originels de la Gigantomachie où des
créatures aux noms (Ouranos, Saturne) et aux
dimensions de mondes s'accouplent, luttent farou-
chement sur le fond bleu nuit du ciel encore sans
astres, et ce mâle frustré de son désir, sa géante
conquête assaillie (saillie) se dérobant d'un coup
de reins, la semence se répandant, voie lactée,
pollen polluant notre mère la terre d'où lève aussitôt sous nos yeux horrifiés une descendance mau-
dite), projetant donc au dehors de lui une partie
de lui-même destinée à lui survivre, c'est-à-dire à
le perpétuer et donc, en définitive, une prolonga-
tion de lui-même, même si elle en est apparemment

la négation, le contraire, et donc, encore, forcé de
se reconnaître en elle, de sorte qu'en contemplant
les mains de paysan exposées, exhibées en pleine
lumière (l'abat-jour de la suspension — une
ancienne lampe à pétrole transformée — délimi-
tant un disque lumineux qui déborde à peine de
la table, les bustes des quatre personnages restant
dans une demi-ombre, sans relief, comme relé-
gués dans un arrière-fond, tandis que sur l'éblouissante blancheur de la nappe leurs mains et leurs
avant-bras semblent comme détachés d'eux), ce
sont en somme ses propres mains qu'il contemple
(et alors aussi celles de son père à lui, pareillement
incrustées — sinon, comme on pourrait le croire
à première vue, constituées — de terre, et maigres
elles aussi — pas fines, ni déliées (cela, c'est probablement l'apport de celle qui, sur les anciennes
photos, apparaît, flexible et irréelle dans ses robes
de volubilis), mais présentant ce même aspect
décharné — les doigts semblables à des bâtonnets
de bois sec, les jointures comme les nœuds du bois),
pensant peut-être (toujours muré dans son écrasante prison de chair, et aucun muscle de son
visage ne bougeant, sauf ceux de la mastication,
c'est-à-dire que, paradoxalement, tandis que son
corps s'active, s'affaire, absorbé tout entier, aveugle, vorace, par l'action de manger, il semble être
privé de vie, n'être qu'un poids de matière morte,

l'agilité, le mouvement, la foudroyante mobilité
de ce quelque chose aux foudroyants allers et
retours, aux foudroyantes accélérations et aux foudroyants ralentissements, se tenant tout entier
concentré dans le regard immobile, fixe, pesant et
morne sous la paupière aux lourds replis) : « Mon
propre moi... », pensant peut-être dans le même
instant à, pouvant voir du même regard sa propre
main, replète, et même bouffie, os, jointures et
articulations noyés, invisibles sous la molle couche de graisse, de sorte qu'il ne peut même pas
savoir comment elle est faite en réalité, si elle
ressemble à l'autre, cette peau blanche et lisse qui
n'a jamais — ou alors depuis si longtemps — touché, été au contact d'autre chose que des livres,
c'est-à-dire quelque chose d'aussi dépourvu de réalité et de consistance que l'air, la lumière —, et
pensant : « Bon. Mais quoi ? » et peut-être encore :
« C'est peut-être une loi, une fatalité ? » puis peut-
être la révolte, la colère : « Non. Non, je ne... », et à
ce moment-là Sabine, qui ne cesse tout en parlant
de le surveiller du coin de l'œil, se faisant plus
volubile encore, le ton de sa voix se haussant
encore, comme si celle-ci pouvait constituer un
barrage, un rempart, feignant (allant au-devant de,
prévenant, espérant détourner ainsi) la colère,
quoiqu'elle sache non seulement qu'aucun des
autres ne l'écoute mais encore qu'ils savent qu'elle

le sait, ne se donnant même pas l'air de feindre de l'ignorer (maintenant Georges s'est remis à manger, la tête à nouveau penchée sur son assiette, avec cette gloutonnerie, ou plutôt cette affectation de gloutonnerie qui semble superposée, empruntée, plaquée sur lui au même titre que les souillures de terre ou de cambouis ou même le hâle, en désaccord avec ses cheveux trop pâles, son apparence frêle, efflanquée, Louise regardant droit devant elle comme si elle ne s'apercevait pas que, tout en parlant, Sabine tourne la tête vers elle à plusieurs reprises, attendant sans doute qu'elle lui réponde, l'aide, vienne à son secours), la voix de Sabine s'élevant encore d'un degré, véhémente, précipitée, disant : « Comme si cette pompe ne pouvait pas attendre jusqu'à demain matin !... On dirait que...

— Tu ne trouves pas que tu n'as pas déjà jeté assez d'argent en l'air comme ça ? » dit Pierre.

Et Sabine, très vite : « Oui, ton père a raison, cette pompe... »

Et Georges : « Jeté ? »

Et Sabine : « Cette pompe qui est toujours en panne, il me semble... »

Et Georges : « Arrête. »

Et Sabine : « Je... »

Et Georges : « Oh, arrête, veux-tu ? »

Un moment regardant son père, reposant sa cuillère, cessant de manger, les deux hommes

de part et d'autre de la table se dévisageant, le plus
jeune noir, maigre, brûlé — et pas seulement par
le soleil —, avec ce quelque chose qui, malgré
trente années, malgré le soleil, la terre, les mains
calleuses, semble rester en lui d'indéfectiblement
féminin, fragile, faible, et l'autre immobilisé dans
sa montagne de graisse, cette mort pesante qui le
cerne, l'envahit, l'écrase, l'immobilise, avec ses
vêtements, son linge immaculé, ses mains imma-
culées elles aussi, et, entre eux deux, les derniers
mots prononcés, quoiqu'ils sachent bien tous deux
(sachant aussi tous deux qu'ils savent) que ce n'est
pas d'argent qu'il s'agit, qu'en réalité ce n'est pas
d'argent que le plus vieux a parlé, mais de quelque
chose dont aucun d'eux ne parlera, quoique ce que
le gros homme (c'est-à-dire pas le tas de chair pour
le moment immobile, absurde, et qui n'est que du
poids, mais les yeux, le regard las, morne, dans
lequel la vie semble s'être réfugiée, fixant quelque
chose par-delà les années — par-delà le temps
aboli — ou ressurgi), ce que le gros homme contemple maintenant, ce ne sont plus les mains bru-
nies et souillées, ni le visage, mais la salopette, la
grossière chemise de paysan, et à ce moment la
bonne entrant, et Sabine respirant, disant : « Oui,
vous pouvez... Oui », la fille allant et venant, enle-
vant les assiettes, les remplaçant par d'autres,
Sabine disant : « Non : il y a l'entremets... »

« Non : les petites cuillères ! » criant presque pour
dominer le tintement de la vaisselle bruyamment
empilée, et toujours aucun des trois autres ne parlant, et enfin la porte se refermant derrière la fille,
et Sabine (sa voix se précipitant, disant) : « Vous
avez vu ? », et les autres se taisant toujours, et
Sabine répétant : « Il y a plusieurs jours que je
l'observe, vous n'avez rien remarqué ? », et les
autres continuant à se taire, comme s'ils ne l'enten-
daient pas, et sans doute ne l'entendant pas, Georges et son père continuant non pas à se dévisager
à proprement dire mais en quelque sorte à regarder
l'un dans l'autre quelque chose qu'aucun des autres
ne peut voir, qui ne peut sans doute pas se voir
au moyen des seuls yeux, et Sabine : « Mais elle
est enceinte, voyons, j'en donnerais ma tête à...
Louise, ma chérie, vous n'avez pas remarqué que
depuis quelque temps elle... », mais ce n'est pas la
peine qu'elle continue, parce que Georges s'est levé,
a posé sa serviette roulée en boule à côté de son
assiette, et sort de la pièce.

Ou peut-être pas. C'est-à-dire peut-être pas ce
soir-là, ou ces mots-là (sinon le volubile, affolé et
inepte bavardage de Sabine), cette sortie. Peut-
être simplement, au lieu de cela, quelques regards
(ou même pas : des yeux évitant de se rencontrer),
des mots retenus, ou dits une autre fois, ou peut-
être jamais dits, seulement pensés, et non pas un

incident (l'esclandre, l'éclat) d'un jour, mais quelque chose de latent, de permanent, d'installé, l'autre scène que Louise pourra aussi revoir par la
suite, appartenant peut-être aussi à ce domaine du
latent, de l'inexprimé, ou — la limite, la ligne de
démarcation entre le formulé et l'informulé consis-
tant seulement en cette poreuse, grossière et fragile barrière des mots — peut-être pas. Un peu
plus tard, dans leur chambre (c'est-à-dire la chambre qui était la leur, non parce qu'ils (Louise et
Georges) l'avaient meublée, décorée, arrangée à
leur goût — à part deux ou trois objets et la commode de sa chambre de jeune fille qu'elle y avait
transportée — mais seulement leur parce que le
fait de dormir et de s'accoupler entre quatre murs
(quels qu'ils soient, même ceux d'une vénale chambre d'hôtel) pendant suffisamment de temps finit
par leur conférer, de même qu'aux fleurs de papier,
aux meubles anonymes, cet émollient caractère de
servile et méprisable complicité. à la fois familier,
rassurant et dominateur, qui, aussi bien que sur ce
que nous avons acquis par l'argent ou le choix,
équivaut à un titre de propriété, avec tout ce que
le concept de possession comporte en fait pour le
possédant de servitudes, d'assujettissement et de
soumission), dans leur chambre donc, Louise étendue sur le lit non défait, tout habillée, la fumée
de sa cigarette s'élevant, s'enroulant et se dérou-

lant au-devant du cadre obscur de la fenêtre, et la
voix lui parvenant de la salle de bains par la porte
ouverte, mêlée au bruit purifiant de l'eau, disant :
«... parce que je voudrais n'avoir jamais lu un livre,
jamais touché un livre de ma vie, ne même pas
savoir qu'il existe quelque chose qui s'appelle des
livres, et même, si possible, ne même pas savoir,
c'est-à-dire avoir appris, c'est-à-dire m'être laissé
apprendre, avoir été assez idiot pour croire ceux
qui m'ont appris que des caractères alignés sur du
papier blanc pouvaient signifier quelque chose
d'autre que des caractères sur du papier blanc,
c'est-à-dire très exactement rien, sinon une dis-
traction, un passe-temps, et surtout un sujet
d'orgueil pour des types comme lui. Très bien, c'est
son affaire. Tout ce que je lui demande, c'est de
me foutre la paix. Ce n'est pas grand-chose, non ? »
Mais elle ne répond pas, et, au bout d'un moment,
il apparaît : elle pourra le voir plus tard ainsi, et
elle se demandera alors si ce n'a pas été à ce
moment qu'elle a pris sa décision, quoique, pen-
sera-t-elle avec ironie, il soit à peu près aussi intel-
ligent de chercher à savoir le moment où l'on a pris
une décision et les raisons de cette décision que
celui (et celles) où (et qui font que) l'on a attrapé
un rhume, la seule certitude que l'on puisse avoir
concernant l'une ou l'autre (la décision ou le
rhume) étant lorsque l'une ou l'autre se déclarent,

et à ce moment elle ou il sont depuis longtemps
installés ; il apparaît donc sur le seuil de la salle
de bains, seulement vêtu d'un pantalon, les che-
yeux mouillés, s'essuyant le cou (le torse maigre,
lui aussi, efflanqué, sur lequel on pourrait compter
chaque côte saillant comme celles de ces chiens
perpétuellement affamés, et, de même que le
visage, brûlé par le soleil — non pas doré ni bronzé
comme ceux que proposent en exemple les hygié-
niques réclames de ces brochures vantant sur
papier couché les pharmaceutiques bienfaits de la
vie au grand air, mais foncé, presque gris, le soleil
semblant avoir agi à la façon d'un corrodant
(mais semblant seulement, pense-t-elle, ou ayant
peut-être aidé, précipité, rendu plus apparent, c'est
tout), aussi bien sur le corps, les membres (le
buste gracile et même grêle d'enfant délicat sur
lequel seraient venus se surajouter, se superposer
(en quelque sorte parasitairement, de force) de ces
muscles de terrassier qui sont comme le contraire
des athlétiques et glorieux exemples proposés par
les revues culturistes, évoquant plutôt ces illustrations que l'on peut voir dans les ouvrages de
médecine, avec le même, semble-t-il, type à moustache et sans âge photographié, assis ou debout —
un rectangle noir ultérieurement placé sur les yeux
aux fins d'anonymat —, dans un décor ripoliné et
nu postulant toise, balance et l'écœurante odeur

d'éther des dispensaires, exposant avec cette morne résignation, cette morne abjection qui sont comme les stigmates de la poisse, une poitrine, étroite, creuse et bosselée), aussi bien sur les membres que le visage — elle ne lève pas les yeux, n'a pas besoin de le regarder pour le voir : empreint une fois pour toutes de cette permanente expression de permanente indignation, de permanent étonnement et de permanent outrage), s'essuyant le cou, disant (Georges, ou plutôt — parce qu'elle ne lève toujours pas les yeux — le maigre thorax cerclé et brûlé dont elle peut voir les côtes se soulever et s'abaisser, emmagasiner l'air et le chasser avec les paroles, le souffle, la voix elle aussi empreinte de cette même indignation hargneuse et presque geignarde, et avec aussi ce quelque chose d'abject qui émane des photos des types avec leurs rectangles noirs sur les yeux) : « ... recalé à Normale, ce qui constitue un excellent certificat d'aptitude pour le restant de l'existence, mais je devais, mais il fallait sans doute à toute force que je fasse Normale, il ne s'est jamais demandé si j'aurais pu, si j'avais envie, moi, de faire autre chose, parce que sans doute il n'était même pas concevable dans ou pour Son orgueil que Son fils pût être, pût vouloir être autre chose que ce que lui-même... » Puis la voix cessant (les côtes maigres continuant seules à se soulever et s'abaisser tandis qu'il se tient main-

tenant immobile devant le lit, la considérant sans
doute (mais elle ne lève toujours pas les yeux) un
moment, et découvrant ou croyant sans doute
découvrir quelque chose qu'il n'a pu découvrir
seulement avec les yeux, car il parle de nouveau),
la voix maintenant autre, disant : « Qu'est-ce que
tu as ? »

Elle se rappellera cela : pas exactement le dialogue, pas exactement les mots dits ou redits,
répétés ou ressassés, mais les deux voix se répondant, alternant, se mariant, se fondant dans sa
mémoire en une sorte de bloc unique, indivisible,
questions et réponses soudées dans cette espèce
d'implacable et absurde enchaînement de tout dialogue, de toute parole : « Qu'est-ce que tu as, Rien,
Si qu'est-ce que tu as, Rien je te dis que veux-tu
que j'aie qu'est-ce qui te prend maintenant
qu'est-ce, Pourquoi fais-tu cette tête, Quelle tête,
Cette tête, Je ne fais aucune, Non tu crois peut-
être que je suis idiot tu te figures que je ne sais
pas très bien quand tu as quelque chose même
quand tu essaies, Tu sais oh mon pauvre Georges
tu sais mon Dieu je voudrais savoir ce que tu sais
ce que tu t'imagines savoir parce qu'alors j'en
saurais plus que je n'en sais moi-même assez de
bêtises ce n'est pas parce que tu es furieux ce soir
contre ton père qu'il faut, Qu'est-ce que tu as, Oh
encore, Qu'est-ce que tu as je ne suis pas idiot,

Rien je te dis rien que veux-tu que j'invente est-ce
que tu vas répéter ça pendant longtemps tu ferais
mieux de finir de te laver tu sors ? Ne détourne
pas la conversation, Tu sors? Si tu te crois maligne
en essay, Il me semble que j'ai aussi le droit de te
poser une question je te demande simplement si tu
sors, Oui, Tu fais bien ça te détendra, Ecoute
Louise, Tu fais bien est-ce que tu rentreras tard ?
Je ne sais pas écoute Louise, Tu vas au Rubis ?
Pourquoi au Rubis qu'est-ce que c'est que cette
histoire du Rubis, Ce n'est pas au Rubis-Bar que
vous jouez ce bar en face du marché aux bestiaux,
Qu'est-ce qu' je parie que c'est ce salaud de Docteur qu'est-ce qu'il t'a, Ce n'est pas au Rubis où
alors ? Quel salaud je lui, Alors c'est bien ça c'est
bien au Rubis, Quel salaud quand t'a-t-il, Tu te
figures que j'ai besoin qu'on vienne me le raconter
mon pauvre Georges pourquoi fais-tu semblant de
t'indigner pourquoi faire semblant comme si tu ne
savais pas parfaitement que je sais, Ecoute
Louise, Alors l'émeraude n'a pas suffi ? » S'attendant à ce qu'il la frappe, mais ne bougeant pas,
toujours étendue, les jambes croisées, dans sa
même robe claire, ne le regardant pas, portant de
temps en temps la cigarette à sa bouche, regardant sortir la fumée, la fumée se détachant de ses
lèvres, les paroles se détachant de ses lèvres, restant comme la fumée un instant suspendues au-

devant de ses lèvres, une boule grise roulant sur
elle-même, les sons prononcés, les mots roulant
les uns sur les autres, c'est-à-dire montrant leurs
diverses faces, leurs diverses combinaisons — ce
pourquoi l'on dit sans doute « tourner et retourner des paroles » —, puis (les mots, l'assemblage
de mots) s'effilochant, se désagrégeant, se dissol-
vant dans l'air nocturne, mais cela ne vint pas (le
coup, la gifle) Georges se tenant toujours immobile, elle pouvant voir les côtes maigres se soulevant et s'abaissant, et à la fin se décidant à lever
les yeux, tous les deux se dévisageant, elle, le
visage parfaitement calme, paisible, laissant tout
au plus transparaître quelque chose comme une
curiosité glacée, distraite, comme si elle le regardait avec une sorte de recul, de très loin, à travers
d'invisibles lorgnettes tenues à l'envers, et lui, la
serviette toujours à la main, décontenancé, avec
son air à la fois pitoyable et abject de chien
maigre, véhément, offensé, disant à la fin : « Alors
tu crois, tu t'imagines... »

Et elle : « Je ne crois rien, je t'ai simplement
posé une question... »

Et lui : « Tu appelles ça poser une question... »

Et elle : « Alors n'en parlons plus... »

Et lui : « Tu crois que je l'ai prise... »

Et elle : « Je t'ai simplement posé une question, n'en parlons plus... »

Et lui : « Tu me crois capable... »

Et elle : « Si ça peut te faire plaisir : je te crois même capable de ne pas l'avoir prise, n'en parlons plus... »

Et lui : « Ecoute, je te jure... »

Et elle : « Mon pauvre Georges, ne jure pas. »

Et lui : « Mais je peux te jurer... »

Et elle : « Oh, et puis bon, très bien, qu'est-ce que ça peut faire... »

Et lui : « Louise, je te jure... »

Et elle : « Elle m'a donné ses bijoux, tu pourrais peut-être essayer aussi de les vendre ? » (Pensant de nouveau : « Maintenant ! » se raidissant, attendant le coup, toujours immobile, apparemment paisible, respirant peut-être un peu plus vite, regardant toujours le rectangle noir de la nuit dans la fenêtre ouverte, l'épaisse et lourde nuit de septembre pénétrant dans la chambre avec son violent et épais parfum de fruits en train de pourrir, rampant semblable à une épaisse couche de visqueuse peinture noire recouvrant la terre, les arbres, les plantes incrustées au-dedans, en filigrane, comme ces fossiles de végétaux dans l'obscure épaisseur des couches de charbon, les forêts englouties, les fougères avec leurs délicates hampes infléchies, leurs cils, leurs délicates ramifications, leurs délicates folioles englouties intactes dans le noir, l'herbe, les oiseaux endormis sous le couvercle de la nuit, enfermant le parfum des fruits séchant dans les placards, sur les étagères garnies de journaux où ils laissent des taches couleur de nicotine, exhalant une odeur de mort, de décomposition, stagnante, enfermée, traversée par le zinzin des moustiques, sa main claquant sur le bras nu, la paume ouverte venant s'interposer au-devant de la nuit et elle (Louise), regardant la courte traînée de sang, disant de la même voix impersonnelle :) « Il fait lourd, ça se couvrait au coucher du soleil, il va peut-être pleuvoir cette nuit, ce n'était pas la peine que tu arroses... »

Et lui : « Qu'est-ce que tu as dit... »

Et elle : « Que ce n'était sans doute pas la peine que tu t'escrimes sur cette pompe parce que je crois qu'... »

Et lui : « Qu'est-ce que c'est que cette histoire de bijoux... »

Et elle : « Oh, tu les veux ? »

Et lui : « Louise... »

Et elle : « Tu les veux, tu pourrais peut-être en tirer dix mille francs, si tu sais t'y pren... »

Et lui : « Louise. »

Et elle : « Dix mille francs, tu te rends compte, tout ce qu'elle a jamais eu de plus précieux enfermé dans une boîte en fer blanc, je suppose que c'est la première chose qu'elle a pensé à prendre quand elle est partie de là-bas, il y a une

chaîne en or cassée, des boucles de souliers dépa-
reillées et encore tout un tas de » (Mais il ne la
frappe pas, il dit seulement :) « Arrête » (Sans
bouger, mais elle ne le voit pas, il faudrait qu'elle
tourne la tête, et au lieu de cela elle regarde toujours droit devant elle la nuit, le rectangle noir,
restant seulement un instant sans répondre, disant
à la fin, ou plutôt s'obligeant à dire, se forçant :)
« Vraiment tu n'en veux pas ? » Puis de nouveau
le dialogue, les deux voix alternées, pas mélangées
maintenant, mais en quelque sorte face à face,
l'espèce d'aller et retour, comme un échange de
coups :

« Louise
» Quoi
» Cesse
» Cesser quoi
» Ecoute tu veux que je reste ?
» Comme tu voudras
» Tu as envie que je reste ?
» Comme tu voudras
» Tu préfères me voir sortir n'est-ce pas
» Pourquoi
» Qu'est-ce que tu vas faire
» Me coucher et lire pourquoi
» Ecoute Louise
» Quoi
» Rien

» Pauvre Georges

» Bon Dieu ». La regardant de cet air morose, outragé, leurs regards se croisant pour la seconde fois, s'accrochant, s'immobilisant un instant, puis celui de Louise se détournant, le buste nu et maigre emporté sur le côté, horizontalement, pêle-mêle avec les fleurs du papier peint, la tache acajou de la commode, la glace où pendant une fraction de seconde elle le revoit, de profil cette fois, la cage thoracique cerclée comme celle d'un chien maigre s'abaissant et se soulevant, puis de nouveau la fenêtre, le rectangle noir, l'haleine noire de la nuit, cette chose ténébreuse et gluante qui semble pénétrer, se déverser sans trêve dans la chambre malgré les efforts de l'ampoule électrique pour la refouler, comme une marée de fourmis aveugles montant patiemment à l'assaut, l'écho du râle arrivant maintenant par l'extérieur avec l'odeur cadavérique et fermentée des milliers de poires en train de pourrir sur la terre noire, la voix de Georges la frappant cette fois par le côté (mais elle ne sursaute pas, toujours allongée, immobile, son cœur se mettant seulement à battre un peu plus vite) disant : « Tu couches avec lui, hein ? »

Elle ne répondit pas, bougeant, s'appuyant sur un coude pour atteindre le cendrier, écraser la cigarette, en prendre une autre dans le paquet sur la table de chevet, puis resta là, le bras levé, les doigts vides, encore dans la position de tenir la cigarette, la main revenue à la place où elle se trouvait quand il l'avait frappée — pas très fort — le bras ayant cédé sous le coup, reculé et repris la même position, comme ramené par un ressort, la cigarette roulant par terre sur le tapis et s'arrêtant. La main bougea de nouveau, revint jusqu'au paquet sur la table, le secoua pour en faire glisser les cigarettes (l'autre bras replié sous elle soutenant toujours le buste soulevé), en prit une, la mit entre les lèvres, le cœur cognant toujours violemment dans sa poitrine, la voix de Georges l'atteignant de nouveau sur le côté, disant : « Tu es sa maîtresse, réponds. »

Et elle : « Oui » (s'attendant pour la troisième fois à ce qu'il la frappe, espérant qu'il la frapperait, pensant « Fais-le bon Dieu fais-le bon Dieu bon Dieu bon Dieu » mais, au lieu de cela, ce fut seulement de nouveau la voix, disant :)« Je sais qu'il est nommé à Pau, tu vas partir avec lui ? »

Et elle : « Je ne sais pas, peut-être... »

Et lui : « Sacré nom de... »

Et elle : « Pauvre Georges... »

Et lui : « Quand ?... »

Et elle : « Quand quoi ? »

Et lui : « Quand foutez-vous le camp ?... »

Et elle : « Tu ne pourrais pas parler autrement... A quoi bon, pourquoi nous... »

Et lui : « Très bien, alors, quand pars-tu ? »

Et elle : « Je ne sais pas, pas avant qu'elle soit
morte. »

Et lui : « Qu'elle... qu'est-ce qu'elle vient faire
là-dedans, qu'est-ce que... »

Et elle : « Je... »

Et lui : « Oh, très bien, très bien, je m'en fous,
tu entends, je m'en fous, ah la la, si tu savais ce
que je m'en fous... » Et après qu'il est parti elle
reste là encore un temps assez long sans faire un
mouvement, la cigarette pas allumée toujours entre
ses lèvres, jusqu'à ce qu'elle la retire, fixant un
moment l'extrémité détrempée tout en claquant
légèrement les lèvres pour en détacher un brin
de tabac, finissant par jeter la cigarette sur la
table à côté du cendrier, puis restant encore allongée, paisible, sa main venant de temps à autre
essuyer le méplat entre l'œil et l'oreille, et un peu
plus tard son visage lui apparaissant à travers la
vitre des larmes, venant au-devant d'elle, masque
de noyée, dans la glace de la salle de bains, remontant à la surface à travers des profondeurs vertes,
flou, comme liquide, dissous dans la diamantine
transparence des pleurs, en émergeant peu à peu
— comme l'image que le photographe met au point
sur le dépoli — tandis qu'elle baigne ses yeux, le

dessin, les traits se précisant, jusqu'à ce qu'ils
soient parfaitement nets, les yeux secs maintenant,
les prunelles pailletées continuant à fixer leurs
doubles, vides, froides à présent, sans expression,
tandis que sa main se saisit machinalement de la
houpette, la promène sur le nez, le front, sans ter-
miner, la rejette, saisissant (la main continuant
le mouvement sans marquer de temps d'arrêt) une
serviette (et peut-être, en même temps, un haus-
sement d'épaules, une crispation des lèvres),
essuyant rageusement la poudre, puis prenant le
démaquillant, commençant à se le passer sur la
figure, puis rejetant le tube, essuyant de nouveau
avec la serviette la crème à peine mise, le regard
toujours fixe, face à face, immobile, avec sa propre
image, effroyablement calme, puis se détournant
(se mouvant, pouvant se sentir en mouvement,
comme privée de poids, flottant dans cette sorte
de calme terrifiant, de vide) : elle éteignit l'électricité, sortit de la salle de bains, traversa la
chambre (éteignant aussi l'électricité), longea le
couloir et, ouvrant la porte, se trouva non pas en
présence ou au contact du, mais pour ainsi dire
dans le râle emplissant la pièce, la pénombre,
démesuré, la main ridée cette fois posée immobile
sur le drap, le visage (le masque cartonneux de
Ramsès II) dans l'éclairage de la lampe tamisé
par le foulard posé sur l'abat-jour (comme si la

mort avait quelque chose d'indécent, exigeait, de
même que la fornication, le secret, une lumière
atténuée, s'entourait, devait être entourée de ces
pudiques précautions destinées à masquer le caractère en quelque sorte obscène, insupportable, qui
s'attache à ces deux moments extrêmes : la venue
au monde et son contraire, le départ) paraissant
s'être encore desséché, racorni, rapetissé, de telle
sorte qu'il semblait plus que jamais hors de proportion avec le râle, le bruit de soufflet de forge
s'en échappant, Louise s'immobilisant au pied du
lit, la regardant avec cette espèce d'effroi, de stupeur (et de révolte, de colère), pensant : « Ce n'est
pas possible qu'elle fasse, qu'elle puisse faire tout
ce bruit, et depuis si longtemps... », pensant parallèlement (mais pas elle : la révolte, la colère) :
« Ce n'est pas possible qu'elle m'oblige, qu'elle...
ait le pouvoir de... », puis elle la sentit près d'elle,
avant d'avoir rien entendu, sursautant (elle avait
oublié sa présence), le bizarre et doux visage de
Polichinelle discrètement fardé lui arrivant tout
juste à l'épaule, le corps difforme sous la blouse
blanche, comme une apparition insolite sortie du
néant, du ténébreux royaume où elle dialoguait
peut-être d'égale à égal, pour ainsi dire familiè-
rement (comme ce passeur chargé de convoyer
les âmes d'un rivage à l'autre) avec ceux qu'elle
aidait à mourir, dans ce langage sans mots qu'elle

avait sans doute appris à connaître, disant (sa
caricaturale et macabre bouche peinte de casse-
noisette s'ouvrant, s'étirant dans un sourire joyeux,
doux) : « Elle est bien, elle n'a rien demandé, elle
n'a pas bougé depuis... », et Louise : « Mais il ne
fallait pas, vous n'auriez pas dû... », regardant le
fauteuil, le châle rejeté, pensant : « Mais peut-être
n'a-t-elle pas besoin de repos, peut-être cela fait-il
aussi partie de son métier, de sa fonction, de sa
nature. Comme sa bosse... », l'englobant, la comprenant dans cette même vague de révolte, de
colère, de désespoir, disant brusquement : « Bon-
soir. Bonne nuit », quittant la pièce, se retrouvant
(elle se rappellera s'être retrouvée) l'instant
d'après dans sa salle de bains, de nouveau plantée
en face de la glace, en train de se démaquiller
maintenant pour de bon, étendant sur son visage
(comme si c'eût été celui d'une autre, la regardant,
figé, impassible, en bois) avec des gestes brusques
la crème à l'odeur douceâtre, tandis qu'à travers
la mince cloison elle pouvait entendre la voix de
Sabine (mais elle ne s'interrompit pas, continua
sa toilette avec les mêmes gestes précis, méca-
niques, impersonnels) lui parvenant comme une
sorte de fond sonore, indistinct, continu (n'écoutant pas, ne cherchant pas à écouter, toujours
debout dans sa solitude, face à face avec ce visage
de mannequin qui la regardait sans sympathie,

absent), la voix invisible bourdonnant toujours,
avec son débit volubile, geignard, véhément,
comme une sorte de récitatif monotone, jusqu'à
ce que tout à coup, sans avertissement, sans
inflexion terminale, cela cessât, s'arrêtant net, et
alors plus rien, Louise pouvant entendre dans le
silence les gouttes tomber une à une du robinet,
puis la voix s'élevant de nouveau, et sans doute
répétant la question, s'infléchissant cette fois sur
les derniers mots de la phrase, les retroussant
pour ainsi dire, relevant haut la fin, l'extrémité de
la phrase, la tenant en quelque sorte suspendue,
en porte-à-faux, en rupture d'équilibre, pour appeler, rendre inévitable, obligatoire, la réponse, et
alors celle-ci : l'autre voix s'élevant cette fois tout
près, sans doute immédiatement de l'autre côté
de la cloison, et distincte, et n'ayant même pas
besoin d'être distincte pour ce qu'elle disait, l'ac-
cent, la lassitude, la brièveté du son suffisant,
disant (faisant plus que dire, signifiant absolument) : « Non », la voix de Sabine surgissant avant
même que l'autre se soit tue, distincte maintenant,
toute proche aussi : Louise pouvant la voir, l'imaginer, apparue sur le seuil de la porte, sans doute
à moitié dévêtue, un vêtement (ou une brosse, ou
un peigne) à la main — la main ointe de crème
et chargée de bagues —, se tenant debout dans
cette espèce d'aura étincelante (comme s'il éma-

nait d'elle, même immobile, comme un permanent
et indécent tintement de bijoux, de bracelets entrechoqués), avec ses cheveux rouges, son visage fané
et peint, sa chair vulnérable, semblable, dans
l'ample, diaphane et suave vêtement de nuit, à
quelque personnage d'Opéra, quelque vieille cantatrice échevelée, endiamantée, folle et demi-nue
incarnant on ne sait quelle pathétique protestation, quel pathétique et inégal combat perdu
d'avance (et par le personnage et par elle-même,
redonnant sans cesse la même et terrifiante soirée
d'adieu où elle reprend obstinément, aveuglément,
le rôle, le succès, le travesti de ses vingt ans,
aphone, décharnée, exhibant ses vieux seins pendant dans le décolleté), perdu contre le temps, de
sorte que Louise n'eut pas besoin d'entendre dis-
tinctement ce qu'elle disait pour savoir, prévoir,
l'échec, la réponse du vieil homme répétant une
seconde fois, sans hâte, paisiblement : « Non ! »

Elle se tint immobile, retenant sa respiration,
écoutant alterner, se répondre les deux voix invisibles, étouffées mais distinctes — comme si elles
lui parvenaient non pas simplement assourdies
par l'interposition d'une mince épaisseur de briques
mais de très loin dans l'espace ou le temps, ce
recul leur conférant une sorte d'existence propre,
les décantant, les dépouillant de tout ce qui dans
la réalité (le contact direct avec la réalité)

vient gêner notre perception, celle-ci, sollicitée
alors de tous côtés, s'éparpillant, se dispersant —,
les deux personnages donc, réduits à leurs seules voix, ramenés par là pour ainsi dire à leur
principe, leur essentiel, la voix aux inflexions pathétiques et dolentes de cantatrice se heurtant à la
pachydermique, lasse, patiente et inébranlable
opposition de l'autre :

« Mais puisqu'elle n'en saura rien, qu'elle ne s'en
apercevra même pas, qu'elle est sans connaissance... Alors, tu vas laisser ta sœur, ta propre
sœur, mourir là comme un chien, comme si ce
n'était pas autre chose qu'un chien, qu'une bête,
alors qu'elle ne s'en rendrait probablement même
pas compte, que ce n'est que l'affaire de quelques
minutes, juste le temps de mettre un peu d'huile
sur le front et les pieds et de dire une...

— Je t'ai dit non.

— Alors tu t'opposes, tu...

— Ce n'est pas moi, c'est elle, c'est comme cela
qu'elle l'a toujours voulu, tu le sais aussi bien
que...

— Ce n'est pas elle, puisqu'elle ne sent, ne voit
plus rien, ne peut même rien dire, est-ce que tu
peux dire, toi, deviner, savoir ce qui se passe dans
son esprit en ce moment, si elle n'a pas changé
d'avis, comment peux-tu savoir si elle ne le désire
pas maintenant, ce qu'elle dirait si elle pouvait

parler, jamais encore dans cette maison quelqu'un n'est mort de cette façon, comment, alors qu'il s'agit de ta propre sœur, alors on· viendra tout simplement la prendre et l'emporter, la mettre en terre comme une ordure, une simple chose dont on se débarrasse en l'enfouissant et en tassant la terre par-dessus... Est-ce que tu m'écoutes ? S'arrêtant, le flot de paroles suspendu, Louise pouvant la voir, l'imaginer, immobilisée dans sa posture théâtrale de vieille diva, attendant, quêtant — non pas même, non plus même les applaudissements, et peut-être même pas un acquiescement : seulement un signe, un indice, l'attention — avec sur le visage cette expression un peu égarée, cette même panique de la vieille Walkyrie scintillante de pierreries ou plutôt (dans le décor jaune et vernissé de la salle de bains semé d'oiseaux japonais et de branches de cerisiers en fleurs) la Madame Butterfly dans son kimono chatoyant, avec son masque ravagé, ravalé, parvenue haletante à l'endroit, à la note où se déchaînaient jadis le tonnerre des vivats, les ovations, fouillant des yeux la salle à demi vide où somnolent à l'orchestre quelques vieux abonnés qui ont tous couché avec elle — et que d'ailleurs cela a depuis longtemps cessé d'intéresser (et de coucher, et d'écouter chanter, même de plus jeunes), elle, donc, debout parmi la neige des fleurs printa-

nières, l'éternel et silencieux gazouillis des oiseaux
exotiques perchés sur les branches rouges, et lui,
sans doute à moitié dévêtu aussi (ou en train
de se dévêtir, car tout à coup elle dit : « Mais tu
sais bien que tu ne peux pas y arriver tout seul,
attends... », et lui : « Oui », et elle : « L'autre maintenant... Naturellement, il s'est embrouillé, c'est
toujours comme ça... Attends que je trouve... Voilà,
ça y est »), massif, sans doute assis, et elle penchée maintenant au-dessus de lui, boutonnant
peut-être la veste du pyjama sur l'énorme ventre
nu à la peau étrangement blanche, étrangement
fine, vulnérable, désarmante, Louise toujours
debout en face de son image en train de l'épier,
dans cette sorte de double solitude surveillée,
immobile, le tube de crème — ou peut-être maintenant la brosse — toujours à la main, ne bougeant pas, non dans la crainte de faire du bruit,
d'être décelée, et même pas pour mieux entendre
(pas plus que les vieux abonnés fatigués et pourtant assidus : sans doute parce que la voix — ou
l'absence de voix — de la vieille cantatrice décatie
n'est pas tant l'objet de leur fidélité ou de, simplement, leur présence, non plus que l'intérêt pour
les personnages qu'elle est censée incarner, la
longue et ectoplasmique théorie des héroïnes ges-
ticulantes et hurlantes promenant majestueuse-
ment sur les planches poussiéreuses leurs traînes,

leurs diadèmes et leurs faux bijoux, mais la som-
nolente et pourtant inapaisable nostalgie de ce
quelque chose que toutes les bramantes Juliettes
ou les Marguerites aux tresses postiches sont
moins aptes à ressusciter que n'importe quel habile
bistouri et n'importe quelle revigorante greffe de
singe), se contentant donc (Louise) d'enregister
pour ainsi dire machinalement, passivement, les
voix, les mots (« Et où va-t-on la mettre, est-ce
que tu y as pensé ? — La mettre ? — Oui, la
mettre, il ne reste plus que deux places, quand on
a enterré papa il n'y avait plus que trois places,
alors — Eh bien ? — Et nous alors, où irons-nous...
Alors, je n'aurais même pas le droit d'être au
milieu des miens, là où toute ma famille, depuis
toujours... — Mais puisqu'il restera encore une
place — Et toi ? — Oh moi, ça m'est égal, on
peut bien... — Alors ça t'est égal, moi d'un côté,
toi de l'autre, n'importe où, ça t'est égal, tu... »),
pouvant voir se dessiner derrière la baguette magique du chef d'orchestre la traditionnelle toile
peinte agitée spasmodiquement par le courant
d'air des coulisses (à moins que ce ne soit le
souffle expectoré à travers la complication serpen-
tine des cuivres) et sur laquelle le sempiternel et
fastidieux cloître italien peint en grisaille sert de
fond au sempiternel tombeau de carton élevé
comme un impérissable monument à l'impérissable

gloire des glandes de singes dans une sorte d'apo-
théose macabre, d'éternelle perpétuation : la vieille
femme ne faisant plus entendre maintenant de
l'autre côté de la cloison qu'un murmure indistinct, douloureux, comme une plainte, en train,
toujours penchée — le dévêtant et le revêtant
au fur et à mesure — sur le corps montueux,
impotent et difforme comme sur le caricatural
fantôme de sa jeunesse, d'assister peut-être par
avance à son propre enterrement, ses propres funé-
railles, imaginant sans doute confusément une sorte
d'après-vie sous forme d'une vague existence sou-
terraine où le vieil homme et elle se trouveraient
enfin parfaitement réunis (c'est-à-dire sans possibilité d'échappatoire, de traîtrise, d'infidélité)
après une courte et provisoire séparation pendant
la durée de laquelle il — ou elle — attendrait que
l'autre vienne le — la — rejoindre, existence pourtant (et malgré ses attraits : éternelle, absolument
possessive et définitivement exempte d'alarmes)
trop hypothétique sans doute et même des plus
douteuses, quoiqu'elle se souciât de l'organiser par
avance avec minutie comme ces dames qui, dans
les agences de théâtre ou de voyages, retiennent
deux places voisines pour un spectacle ou dans le
train et s'enquièrent longuement auprès de l'employé d'une multitude de détails précis (Louise
se souvenant d'avoir entendu raconter dans son

enfance l'histoire d'une vieille cousine de la famille qui, dix ans avant sa mort, avait commandé son cercueil et, pendant ces dix années, avait vécu pour ainsi dire avec lui, le cercueil disposé dans son salon comme une sorte de coffre à bois sur lequel il arrivait parfois que l'on s'assît, ne cessant, pendant ces dix années, de travailler à son ornement, son confort, le garnissant de coussins, d'accoudoirs qu'elle essayait elle-même en s'y couchant, invitant ses visiteurs à l'essayer aussi, le vantant, l'astiquant, le perfectionnant sans cesse), et maintenant Louise pouvait entendre à travers la cloison les bribes d'un calcul compliqué, Sabine spéculant apparemment sur le probable état de décomposition avancé des plus anciens cadavres de la famille (qu'elle dénombrait), putréfaction et même, espérait-elle, pulvérisation qui permettrait sans doute — comme elle avait entendu dire que cela avait été fait une fois dans le caveau d'une famille amie et trop nombreuse — de réunir plusieurs débris dans un seul et collectif cercueil (les cercueils eux-mêmes, lui avait-on raconté, étant aussi réduits en poussière, de sorte qu'il faudrait vraisemblablement, pour cette ultime réunion familiale, penser à en faire fabriquer un neuf), spéculation cependant si vague, si problématique, et en définitive si hasardeuse que (ou peut-être fut-ce simplement l'effet de la vision de ces restes, de ces reliefs familiaux, ce mélange de crânes et d'os anonymes un instant exhumés et aussitôt réinhumés pêle-mêle) la voix de Sabine parut se déchirer soudain, se tordre, s'élevant dans un cri, une protestation désespérée, furieuse (et même hargneuse, indignée, butée), disant : « Je ne veux pas mourir ! », le vieil homme se contentant sans doute de la regarder sans rien dire, car au bout d'un instant la voix — la protestation, le défi — s'éleva de nouveau, quoique plus faible (mais Louise pouvait percevoir que ce n'était pas tant du fait de son intensité que parce qu'elle ne provenait plus du même endroit, Sabine s'étant sans doute déplacée entre les deux cris, le second, assourdi, semblant cette fois provenir de la chambre), disant : « Je déteste la mort, l'idée de la mort, je ne peux pas supporter... »

Cette fois, l'autre voix ne la laissa pas finir, s'éleva avant même que le cri se fût éteint, et même le domina (non par sa force, mais au contraire sa placidité, son calme, sa lassitude), l'étouffant, disant : « Allons, voyons, laisse cette bouteille, tu ne trouves pas que pour ce soir tu as... », et elle : « J'ai tout juste bu un seul petit verre, naturellement, toi, tu t'en fiches, tu... », et lui : « Allons !... » Il se leva, ou plutôt Louise l'entendit se lever : le grincement sur le carrelage du siège repoussé, le bruit, l'espèce de ahanement silencieux (et pourtant perceptible à travers la cloison : pas audible, perçu peut-être par autre chose que l'ouïe, un autre sens) provenant non des poumons mais, semblait-il, de l'énorme masse de chair tout entière peinant pour se hisser, se mettre debout, puis s'ébranler, se mouvant de cette lourde et trébuchante démarche de canard ; puis, avant même qu'il fût arrivé, qu'il ait eu le temps d'arriver dans la chambre, la voix de Sabine (mais comme étranglée, c'est-à-dire les premières syllabes, l'attaque de la phrase engluée, avec ce bruit particulier que fait un gosier trop précipitamment sollicité de passer d'une de ses fonctions — déglutir — à l'autre — émettre des sons —, de sorte que les premiers de ceux-ci sortent dans un bruit mouillé de clapet, la voix se rattrapant, s'affermissant, reprenant peu à peu assurance grâce à ce formidable aplomb — ou astuce, ou ruse — qui semble être l'atavique apanage de toute créature femelle et que possède déjà la gamine surprise à fouiller dans le sac de sa mère, pour peu qu'elle ait eu simplement le temps non pas même de lâcher le sac mais d'en retirer sa main, le seul fait d'avoir pu la retirer à temps suffisant sans doute à lui conférer cette parfaite innocence, cette parfaite bonne foi qui lui permettent de dire avec une absolue candeur, en dépit des marques de rouge à lèvres qui barbouillent encore sa figure : « Non j'ai pas... J'ai jamais... Je faisais rien... »), la voix de Sabine, donc, le devançant, disant : « Oh la la... Voilà, j'ai tout juste... Mon Dieu, à t'entendre, à te voir faire, on dirait que je suis une vieille ivrogne, alors que tout ce que je fais, c'est de prendre une goutte, une larme de cognac pour m'aider à m'endormir, comme si avec tous les soucis que nous avons... Crois-tu que tu aies besoin de l'enfermer, crois-tu que depuis le temps je n'aurais pas pu faire faire une autre clef si je voulais boire sans que tu... », puis la voix s'affaissant, renonçant (soit d'elle-même à redire les paroles déjà mille fois dites, soit devant l'évidente inutilité de continuer, le bruit des ressorts du sommier gémissant sous le formidable poids d'os et de chair s'élevant pour toute réponse, soit encore que l'un des derniers mots prononcés ait cheminé pour ainsi dire souterrainement tandis que la voix continuait encore sur sa lancée, le mot en question (c'est-à-dire ce qui n'était au départ qu'un bruit) poursuivant sournoisement cette mystérieuse mutation qui peut transformer un inoffensif assemblage de sons en quelque chose d'aussi corrosif, d'aussi brûlant, intolérable qu'un poison — cette soudaine morsure, attaque par l'intérieur, plaie ravivée —, car :) la voix s'élevant de nouveau, encore une fois changée, autre, angoissée maintenant, implorante, disant : « Pierre ! »

Et lui : « Quoi ? »

Et elle : « Pierre, est-ce que je suis si vieille ? »

Et lui : « Allons ! »

Et elle : « Est-ce que je suis donc si vieille ? »

Et lui : « Allons, voyons ! »

Et elle : « Mais enfin, je ne suis pas vieille, j'ai presque dix ans de moins que toi, je ne suis pas vieille, on n'est pas vieille à mon âge... »

Et lui : « Allons, voyons ! » Puis, de nouveau, Louise cessa de les entendre, tout au moins quelque chose de distinct, percevant seulement comme un vague murmure, étouffé, peut-être une plainte, peut-être des sanglots, percevant, pouvant sentir en même temps, pour la seconde fois dans la soirée, cette espèce de chose noire, irrésistible (pas la nuit, et pourtant portée par la nuit, ou profitant de la nuit, peut-être existant quelque part, cachée, attendant, pendant la durée du jour et profitant de la nuit pour ressurgir, s'insinuer, s'infiltrer, mêlée à — ou portée par, ou encore à la faveur de — l'écœurant et mortel parfum des fruits pourrissants, tenace, innombrable et vaste), ramper invisible, sans hâte, et Louise suffoquant, pensant : « Mais c'est peut-être seulement ce temps, cet orage qui ne se décide pas... », entendant presque simultanément claquer les premières gouttes sur les feuilles du marronnier et la voix de Sabine (brusquement tout près, comme si elle avait parlé

dans la pièce même, Louise sursautant, la surprise
étant, non de l'entendre tout à coup si proche,
revenue dans le cabinet de toilette, juste de l'autre
côté de la cloison, à peu près sans doute à la place
où se tenait un moment plus tôt le vieil homme,
mais de l'imprévisible, du complet changement de
ton, du complet changement de préoccupations, de
pensées, sinon d'esprit, d'âme — sans doute par
l'effet de ce principe qui fait qu'on peut toujours
s'attendre d'une femme, vieille ou jeune, à à peu
près n'importe quoi, y compris les choses les plus
belles ou les plus difficiles, la plus courante, la
plus banale de ces volte-face, de ces brusques
changements de direction sans avertissement con-
sistant à entreprendre tranquillement de réparer
(avec cette froide et minutieuse attention qui est
sans doute l'héritage de siècles d'expérience —
non pas l'expérience des fards, de la toilette, mais
de l'homme) les dégâts faits dans un maquillage
par le semblait-il intarissable flot de larmes qui
coulait l'instant d'avant, ce à quoi Sabine était
selon toute probabilité en train de s'occuper,
Louise se demandant maintenant si ce qu'elle avait
pris pour un bruit de sanglots n'était pas tout
simplement le glou-glou du lavabo, à moins — car
il s'y ajoutait maintenant un tintement de verres
entrechoqués — que ce ne fût encore autre chose,
parce que vous pouvez tout aussi bien remplir de

cognac une bouteille de parfum étiquetée « Cuir
de Russie », ou « Arpège », ou « Bandit », et inno-
cemment placée parmi d'autres, pleines du même
liquide ambré, sur l'étagère de votre coiffeuse : et
sans doute était-ce bien cela, car lorsque la voix de
Sabine s'éleva de nouveau — à présent distraite
(trop), trop paisible, constatant simplement —,
elle avait cette imperceptible résonance engluée,
disant :) « Tiens, la pluie ! », puis, presque aussitôt, sans transition non plus, quoique cette fois
semblant s'appliquer, forcer sur le nonchalant,
l'anodin, disant du ton dont on use lorsqu'on parle
seulement pour meubler le silence, pour dire
quelque chose, tout en se livrant à une autre occu-
pation (par exemple à ces mystérieuses et graves
opérations que postule la complication des crèmes,
des tubes, des multiples pots aux teintes suaves,
aux contenus mystérieux, suaves et secrets, vaguement effrayants, fascinants, comme une émanation
même de la délicate chair des femmes dans sa
secrète et effrayante complication, sa violence et
sa vertigineuse suavité) : « Mais Georges, il est
resté tout le temps près de toi ? » puis, sans
attendre la réponse, ou allant au-devant de la
réponse, ou empêchant la réponse, disant : « Je
veux dire... Tu ne m'as pas raconté exactement
comment vous vous y étiez pris... Est-ce que vous
avez été tout le temps ensemble, ou est-ce que vous

vous êtes réparti des secteurs? Je veux dire : est-ce
que Georges n'a pas été chercher dans un coin
avec quelques-uns de ces hommes pendant que
toi et Julien étiez occupés à... Je veux dire : est-ce
qu'il n'aurait pas été possible que... », puis (comme
si elle ne voulait pas entendre la réponse, comme
si elle avait tout à coup pris conscience, reculait,
effrayée, devant les possibles conséquences de sa
question), faisant précipitamment marche arrière
(c'est-à-dire ce qui, pour un homme, eût été battre
en retraite, mais qui, pour elle — et encore une
fois en vertu de cette même prodigieuse faculté
des femmes de retourner à leur profit les lois
auxquelles le commun des mortels est soumis, faisant par exemple que le haut soit le bas ou l'obscurité la lumière —, qui pour elle, donc, se trans-
formait en un fulgurant bond en avant, et même
en une attaque, et même une botte), disant très
vite : « Parce que tu ne serais même pas capable
de voir ce qui se passerait à deux doigts de ton
nez, pas plus le ventre de cette petite qui crevait
les yeux ce soir que ce qui se passe ici, sous ton
propre toit, concernant ton propre fils, ta propre
belle-fille... » Mais même à ce moment Louise ne
bougea pas : elle pouvait l'imaginer (Sabine) se
tenant alors peut-être debout comme elle-même en
face de sa glace, les deux glaces, dans chacune
des salles de bains, étant fixées comme chacun

des deux lavabos qu'elles surmontaient, et sans
doute pour des raisons d'évacuation d'eaux et de
plomberie, exactement dos à dos de part et d'autre
de la cloison, de sorte qu'il lui semblait voir Sabine
à la place même de sa propre image virtuelle,
toutes deux (Louise et Sabine) se faisant face,
la vieille femme immobile, avec son agressive chevelure orange, ses voiles, ses mains endiamantées,
dans cette posture, cette attitude de quelqu'un tournant le dos à son interlocuteur et qui vient de parler (pour ainsi dire derrière sa propre tête), attendant, le regard en coin (comme si le regard aussi
s'efforçait de voir derrière la tête, guettait, conférant au visage cette expression d'expectative sour-
noise, rusée, en même temps que légèrement
inquiète, un peu haletante, du chasseur qui vient
de lancer l'appât, se tenant coi, un peu crispé), ou
peut-être, en vitesse, pour meubler l'attente ou
pour se réchauffer, mais sans quitter l'appât de
l'œil, s'envoyant hâtivement une goulée de gnôle,
Louise croyant entendre de nouveau comme un
infime tintement de verre, pouvant la voir, l'espace
d'un éclair, la tête renversée, comme tirée en
arrière par le poids, la masse flamboyante des
mèches rouges, la main endiamantée approchant
des lèvres (ou plutôt les heurtant d'un geste sauvage, foudroyant, escamoté) le verre (ou peut-être
même le flacon — la vieille bouche peinte tétant

avidement, directement au goulot — avec son élégante étiquette portant en élégante typographie
le nom (peut-être, dans l'entremêlement des
branches de cerisiers en fleurs et des oiseaux exotiques aux délicates pattes couleur de corail,
« Mitsouko », ou peut-être encore « Désir », ou
peut-être même — qui sait ? — « Ivresse ») et le
flacon lui-même en forme de hanches, de seins,
comme une voluptueuse équivoque, allusion, illusion), mais le tout très vite, Louise pouvant percevoir, ou croyant percevoir presque aussitôt l'infime bruit (un frottement de verre abrasé) du bou-
chon remis en place en même temps qu'elle entend
de nouveau la voix (s'élevant maintenant en
réponse à la question provoquée, ou peut-être
même sans question, car cette fois Louise ne perçut
rien — soit que de la chambre, de l'énorme montagne de chair maintenant allongée dans le lit, ne
parvînt qu'un grognement, ou peut-être encore
même pas, seulement le froissement d'une page
de journal tournée, soit que le court moment de
silence ne correspondît qu'à une de ces pauses
savantes, comme en fait l'acteur qui ménage ses
effets, pour fouetter, aiguillonner l'attention — ou
même encore, beaucoup plus prosaïquement, à
une simple halte-buvette), la voix disant : « Cet
ingénieur des pétroles, elle est sa maîtresse, j'en
suis sûre, j'en mettrais ma tête à couper, ce sont

des choses que je sens, que... », les pulsations,
l'afflux bourdonnant du sang un peu plus rapide,
mais à peine, et peut-être un peu de chaleur aux
joues, mais soutenant toujours ce même regard
dur, froid, trop calme — le sien — qui continuait
à la fixer sans ciller, sans émotion apparente, de
l'autre côté de la glace, à la place même où se
tenait sans doute la veille femme, puis au bout
d'un moment cela s'atténua, cessa, ses oreilles
pouvant entendre de nouveau la voix de Sabine
— comprenant en même temps qu'elle n'avait en
réalité jamais cessé de l'entendre et que ce n'avait
pas été ses oreilles, le sang plus rapide, mais
comme l'effet d'une sorte de déconnexion, son
attention tout entière accaparée par elle-même
ou plutôt ce double en train de la dévisager sans
aménité, l'injuriant, répétant avec cette morne,
calme et froide fureur « Idiote idiote espèce
d'idiote », tandis qu'elle était elle-même en proie
à cette même colère (et non pas d'avoir été devinée,
de s'être, d'une façon ou d'une autre, trahie, non),
cette même rage impuissante qu'elle avait ressentie devant le coffret, le cadeau de la mourante, la
vieille boîte sur le couvercle de laquelle l'image
de la jeune femme alanguie et du même petit chien
frisé au nœud bleu se répétait, indéfiniment re-
produite sur le couvercle de la même boîte en
réduction que la jeune femme tenait dans sa main

(en réalité, c'est-à-dire de façon visible, deux fois seulement, la troisième boîte de berlingots étant déjà si petite que la jeune femme n'y est plus qu'une simple tache sur le vert de l'herbe, et le petit chien un point, mais l'idée de cette répétition sans fin et dont la perception échappe aux sens, à la vue, précipitant l'esprit dans une sorte de vertigineuse angoisse), la durée de ce tête-à-tête rageur entre elle-même et son double ayant été sans doute plus longue que ne le laissaient penser les quelques paroles (l'impitoyable, furieuse et monotone répétition de la même injure) non pas échangées mais assénées et encaissées de la même façon (c'est-à-dire comme deux adversaires se haïssant à mort, échangeant des coups en silence, sans une plainte, comme si recevoir et donner des coups était, par une tacite convention, considéré par eux comme non seulement une affaire privée autour de laquelle on ne fait pas de bruit, mais encore comme le seul mode possible et même normal de relations), car maintenant (lorsqu'elle recommença à pouvoir saisir ce qu'elle disait) Sabine avait encore une fois changé de sujet (si tant est qu'une femme cesse jamais de parler du même sujet, de la seule et unique chose qui l'intéresse, et si tant est encore — car ce serait sans doute être trop injuste de s'en tenir aux femmes — si tant est que les tonnes de discours, de

volumes, de ratiocinations, de fictions, de spécula-
tions accumulés par l'homme aient jamais eu pour
sujet autre chose que la même préoccupation, cette
insoluble interrogation : lui-même), parlant maintenant (Sabine) d'une voix détendue, nonchalante
et, semblait-il (quoiqu'elle haussât le ton, criât
presque pour dominer le bruit de la pluie qui au
dehors tombait drue), cadencée : les périodes, les
lentes et paresseuses inflexions de la voix — et parfois un peu trop infléchie, un peu plus haute que ne
l'exigeait la simple nécessité de se faire entendre
par-dessus le ruissellement de l'eau, comme si
autre chose, qu'elle ne pouvait contrôler (Louise se
demandant où en était maintenant le niveau du
liquide dans l'élégant, le voluptueux flacon en
forme de buste de femme) la faisait parfois s'éga-
rer —, les inflexions calquées sur le rythme même
des gestes, la main armée de la brosse passant et
repassant sur l'ardente et rouge chevelure tandis
qu'à travers l'insipide bavardage il lui semblait les
voir : eux deux, l'homme et la femme, qui n'étaient
plus aujourd'hui qu'un vieux couple, non pas en
train de se chamailler (car, apparemment,
l'homme-montagne avait depuis longtemps cessé
de donner la réplique autrement que sous la forme
de ces vagues sons indistincts émis non en guise
de réponse mais, pour ainsi dire, de signaux, et
encore : signaux non d'attention, d'intérêt pour ce

qu'elle racontait, mais, en quelque sorte, comme
une simple manifestation (le son, le bruit de gorge)
d'existence, comme un réflexe déclenché non par
les paroles mais par le silence (comme le voyageur somnolant dans le bruit monotone du train et
qui se réveille aux arrêts), c'est-à-dire lorsque, le
flot des paroles cessant, le silence s'instaurant, se
prolongeant, s'appesantissant, lui faisait comprendre qu'elle attendait, exigeait, se pensait en
droit d'attendre de lui cette marque, cette preuve
de sa présence, avant de se remettre à parler),
non pas en train de se chamailler, donc, mais
accomplissant la série de gestes, de rites, accompa-
gnés ou non de paroles — écoutées ou non — sanc-
tionnant la fin de chaque journée, Louise pouvant
les voir surgir tous deux, se matérialiser peu à peu
à travers le bruit multiple de la pluie nocturne, les
multiples rayures noires s'entrecroisant, se superposant, se biffant, se pourchassant, des vieux
films, et eux semblables aussi à ces personnages
des vieux films anachroniques : elle avec une de
ces toques-cloches descendant sur les yeux, un de
ces colliers trop longs, une de ces robes en forme
de tuyau de poêle, garnies de plusieurs étages
de franges d'abat-jour et s'arrêtant au-dessus des
genoux, qui donnaient aux femmes (avec leurs
chaussures claires, leurs cheveux courts et leurs
lèvres peintes) l'air de gamines perverses et endi-

manchées, lui pas très différent encore du jeune
professeur à barbiche et lorgnons qui figurait sur
la photo de mariage (quoiqu'il n'eût plus maintenant ni barbiche, ni lorgnon, mais pas encore de
ventre), affublé d'un de ces feutres apparemment
trop grands enfoncé jusqu'aux oreilles, et d'un de
ces pantalons étroits et trop courts, et de guêtres,
et d'une canne, tous les deux se mouvant à travers ou plutôt derrière le rideau de pluie noire et
serrée (comme si une main rageuse avait tissé
au-devant de ou par-dessus leurs images ce furieux
réseau — à la façon dont un enfant griffonne les
illustrations d'un livre — pour les effacer, les biffer,
eux, leurs gestes morts, leurs sourires morts, leurs
bouches muettes s'ouvrant et se refermant) dans
un décor désuet et défunt lui aussi : quelque chose
apparaissant vaguement sous le gribouillis, avec
des palmiers dans le fond, et peut-être une digue
— ou une promenade — au bord de la mer, et peut-
être un de ces casinos posés sur la surface de
l'eau comme un de ces insectes aux longues pattes
écartées, avec une morphologie d'insecte, des marquises, des fenêtres, des verrières, des portes en
formes d'élytres, d'ailes, d'éventails, d'yeux à
facettes, et, tel une vieille impératrice, surchargé,
couronné de dentelles, de balustrades, de festons
de fer, une mer de carte postale venant battre
sous lui, et encore des fiacres parmi les autos aux

formes brutales, les fiacres eux aussi semblables
à de vieilles dames, de vieilles impératrices, avec
leurs baldaquins à franges, leurs silencieuses roues
caoutchoutées faites pour rouler entre les buissons
de lauriers roses et les plantes tropicales dans les
avenues arrosées trois fois par jour, et leurs vieilles
rosses chapeautées, et encore de ces hôtels trop
blancs semblables à des pièces montées, aux cou-
poles roses ou mauves, le tout — décor et personnages — possédant en commun cet on ne sait
quoi de vaguement fabuleux qui semble être le privilège de ces acteurs du temps du muet ou des
mannequins de vitrines, c'est-à-dire impossibles à
concevoir déshabillés, nus, tant au physique (seins
— à cette époque où aucune femme ne paraissait
en avoir —, ventres, cuisses, sexes, poils) qu'en
esprit, c'est-à-dire incapables, semble-t-il, d'éprouver nos passions (sinon à la façon des protago-
nistes de ces films que l'on pouvait voir, dit-on,
dans les bordels, se livrant — les hommes barbus
et les femmes en chemises-caracos retroussées,
bouillonnantes, jusqu'aux aisselles — comme à la
parodie dérisoire des gestes de l'amour dans une
pantomime furieuse — ou plutôt frénétique — et
saccadée, les apparentant plus à ces automates
maladroitement animés par un mouvement d'horlogerie qui n'est capable d'imprimer que les gestes
simples, élémentaires, essentiels (privés de ce

vague, de cet imprévu, cet inachevé, cette hési-
tation qui est la marque de l'humain), plus appa-
rentés à des automates donc qu'à des êtres de chair
et excluant dans la fornication même toute idée
de volupté, d'une émotion quelconque), incarnant
si l'on peut dire, des passions désincarnées, à la
façon d'ailleurs des acteurs en vogue à cette époque, dont les noms (Paula Négri, Valentino) aux
consonances hispaniques ou sud-américaines et
les visages (les visages de ces noms) aux cheveux
cosmétiqués, collés en accroche-cœurs, peints semblait-il (échappant ainsi à leur nature de poils,
écartant, supprimant toute idée de pilosité, de
même que chez les stars d'origine anglo-saxonne
l'impalpable, la floue, l'irréelle mousse de cheveux
blonds) sur des têtes de celluloïd elles aussi pré-
fabriquées, ces vedettes nous apparaissant aussi
loin de nous, aussi étrangères à la réalité quotidienne que Phèdre ou les personnages de ces traditionnels théâtres d'Extrême-Orient — d'où sans
doute l'épithète de « classique » fréquemment
employée aujourd'hui pour désigner cette période
du cinéma, l'archaïsme du langage, ou des atti-
tudes, ou des vêtements, suffisant sans doute à
assurer cette transposition nécessaire, à transcen-
der, en lui ôtant les apparences du familier, le
spectacle le plus banal — et de même il semblait
à Louise les découvrir maintenant tous deux

(Sabine et Pierre) sous l'aspect de ces redoutables et sacrés personnages hollywoodiens, cousins de ceux de la tragédie grecque ou racinienne, le plus insignifiant de leurs gestes empreint de cette majestueuse solennité, comme, par exemple, Sabine assise dans un de ces halls d'hôtels en crème Chantilly, décoré de palmiers nains placés dans ces hauts cache-pots de céramique aux teintes roses et vertes fondues, tapotant nerveusement d'un ongle trop rouge et trop long le dessus d'une de ces tables de rotin tressé, au plateau recouvert d'une plaque de verre, glauque si on la regarde dans son épaisseur, de sorte que les villes, les îles, les ruines, les places et les montagnes des dépliants touristiques disposés au-dessous en éventail semblent autant de sites engloutis et hors d'atteinte — et l'étant, en réalité, inaccessibles en fait, sauf à cette catégorie particulière d'humains vêtus de costumes spéciaux, comme ceux des personnages que l'on peut voir sur les dépliants en train d'admirer ruines ou paysages et pouvant disposer de suffisamment d'argent, ou plutôt de ce sésame, ce passeport, cette monnaie d'une espèce particulière qu'est l'argent dépensé en grandes quantités, c'est-à-dire une monnaie (quoique ce soit apparemment les mêmes billets) qui n'a rien de commun avec l'autre : non pas l'argent gagné, économisé et parcimonieusement, craintivement dépensé chez l'épi-

cier ou le bougnat, mais jeté par liasses, ou mieux
— invisible efrit au pouvoir sans bornes — par
chèques d'au moins cinq chiffres, cette capacité
de dépenser conférant encore aux deux personnages (Sabine et Pierre) entrevus plutôt que vus
à travers les striures de la pellicule éraillée un
peu plus de cette surréalité, de cette inhumanité
propre aux créatures de théâtre et de passion, le
dialogue, les paroles échangées (s'apercevant —
Louise — que depuis un moment les bouches
avaient cessé de s'ouvrir et de se refermer sur
du silence) empruntant elles aussi à cette irréalité comme une sorte de passionnelle grandeur :
vous veniez de faire l'amour, tu marchais à côté
d'elle, il n'y avait qu'à voir la tête que vous faisiez
tous les deux portant ça sur vos figures comme
si ç'avait été écrit dessus, crois-tu que tu puisses
me cacher quelque chose mon pauvre ami, et elle
elle aurait hurlé à tue-tête ce qu'elle venait de
faire que ça n'aurait pas été plus criant, et probablement même ravie de me le laisser voir, de
me narguer, l'étalant même, en tout cas au moins
c'était franc, c'était au moins ça à son actif, t'ima-
ginais-tu réellement que j'allais avaler, croire
cette histoire puant le mensonge, au moins tu
aurais pu faire l'effort de trouver quelque chose
d'autre que... dans une ville de deux cent mille
habitants sans compter les estivants, les gens de

passage, un homme et une femme se rencontrant soi-disant comme ça par hasard un homme et une femme qui derrière mon dos et même devant mes yeux n'ont pas cessé pendant huit jours de...
Pierre
quoi
est-ce que tu pourrais me le jurer
jurer quoi
que tu n'avais pas rendez-vous avec elle, que quand je vous ai trouvés vous ne sortiez pas à l'instant d'un de ces sales hôtels, je te parle Pierre
oui
sur tes enfants ta famille ta sœur
c'est ridicule
tu vois
allons
tu vois
allons voyons
oh tu es odieux tu es ignoble, tu étais là tout le temps après elle, incapable même de te tenir, tirant la langue comme un petit chien qu'elle aurait tenu en laisse, la regardant comme si elle était je ne sais quoi, une déesse descendue de l'Olympe, une déesse, ah ah une grue oui voilà, mais ce n'était pas pour te dégoûter grue ou pas grue n'est-ce pas, et elle qui ne savait que faire, qu'inventer, de toute ma vie je n'ai jamais vu une femme se conduire d'une façon aussi éhontée, ah

oui il ne m'a pas fallu longtemps pour comprendre comment son mari avait obtenu sa nomination ou plutôt comment elle s'y était prise pour obtenir sa nomination, je n'aurais jamais cru qu'un être humain puisse manquer à ce point de pudeur, de respect de soi et des autres, penchée là tant qu'elle pouvait en avant exprès pour te montrer ses seins, réponds

quoi

elle ne te montrait pas ses seins peut-être, cette tasse de thé à la main, combien de sucres, comment ? seulement un ? elle a mis autant de temps à l'attraper que moi j'aurais mis à vider le sucrier tout entier en les sortant un par un avec la pince, toujours soigneusement penchée en avant, elle devait en avoir mal aux reins à la fin, mais je suppose qu'elle en avait l'habitude, une de ses postures favorites sans doute, comme ça et couchée sur le dos, et toi n'est-ce pas tu ne les regardais pas, c'était sans doute pour ça que tu étais rouge comme une tomate, non bien sûr j'invente, elle ne te montrait rien et tu ne regardais rien, seulement à vous voir on aurait dit exactement deux chiens en chaleur, et moi me réveillant toute seule, malheureuse dans cette chambre d'hôtel, abandonnée, me demandant où tu... si soi-disant tu étais sorti comme tu le prétends, simplement pour aller à la bibliothèque, tu n'aurais pas filé

comme ça sur la pointe des pieds en faisant bien
attention de ne pas me réveiller, pourquoi oui
pourquoi ne m'as-tu pas dit que tu sortais, réponds,
pourquoi dis pourquoi

pourquoi quoi

pourquoi tu as pris tant de peine pour ne pas
me réveiller, pour filer pendant que je dormais

tu faisais la sieste, tu m'avais dit

et tu veux me faire croire que tu as passé deux
heures chez le coiffeur

je n'ai jamais rien voulu te faire croire, je t'ai
dit que j'ai été faire un tour, j'ai été jusqu'à la
bibliothèque pour voir s'ils avaient ce livre dont

et tu es resté trois heures à la bibliothèque

non deux heures, j'y ai travaillé un moment et
puis

tu y as travaillé, tu as pris des notes ?

oui j'ai lu et j'ai pris quelques notes, tu les
a vues

qu'est-ce qui me prouve que c'est cette fois que
tu les as prises, comment veux-tu que je sache,
ta serviette est toujours pleine de paperasses, si
c'est cette fois ou une autre, et alors tu as trouvé
comme ça normal, naturel, de me laisser seule
dans une chambre d'hôtel toute l'après-midi

je pensais que tu étais fatiguée, que tu voulais
te reposer

reconnais que vous aviez rendez-vous

non je t'ai dit que non

je ne vois pas pourquoi tu t'obstines à nier au
lieu de dire simplement les choses comme elles
se sont passées, après tout il n'y aurait rien eu de
mal à ce que vous ayez été faire un tour ensemble
non

pourquoi ne me dis-tu pas simplement que puisque je ne voulais pas sortir et que tu étais seul
vous êtes allés vous promener ensemble, je ne
trouverais rien à redire à ça

parce que ce n'est pas vrai

(les deux voix maintenant mêlées, mariées,
entrelacées, et non pas s'affrontant mais s'élevant
pour ainsi dire patiemment, chacune à leur tour,
et — de même — non pas tellement opposées,
irritées, qu'empreintes d'une sorte de commune
lassitude, de commune désolation, Louise à présent pouvant à peine distinguer les paroles : un
simple bruit, monotone, navrant, parmi le chuintement monotone de la pluie, maintenant, elle
aussi, étale en quelque sorte, installée, paisible,
multipliant, semblait-il, la vaste nuit : tout près,
distinct, l'écoulement des chéneaux, des gouttières,
puis, immédiatement derrière, le jardin ruisselant
de larmes, de pleurs, les branches, les feuilles ruis-
selantes, l'herbe ruisselante, et plus loin encore,
tout autour, les prés, les bois, la vallée, les collines
invisibles noyées dans l'indistincte et paisible

rumeur de l'eau, comme si la nuit tout entière,
le monde tout entier se liquéfiaient lentement dans
les ténèbres humides, se dissolvaient, s'engloutis-
saient, se défaisaient peu à peu, insensiblement,
sous les milliers et les milliers de gouttes indé-
nombrables, tranquilles, acharnées, en train de le
détremper, de l'user, de le grignoter, entourant la
maison de ce murmure formidable et majestueux
au-devant duquel ou plutôt au sein duquel la voix
de la vieille femme semblait poursuivre dans le
vide quelque éternelle et inapaisable plainte,
comme une litanie, à la fois désolée, acharnée et
languide, disant :) mais la tête sur le billot tu
continuerais encore à nier, à t'obstiner, à t'imaginer
que tu réussiras à me faire croire que tu es allé
travailler deux heures à la bibliothèque après être
sorti sur la pointe des pieds, pour passer ensuite
une heure chez le coiffeur et qu'en sortant tu es
tombé sur elle comme ça, absolument par hasard,
tiens quelle surprise, par exemple, comment allez-
vous, parce qu'elle aussi sans doute se promenait
absolument par hasard de ce côté-là

oui

bien sûr, seulement je ne suis pas aveugle, je
vois, je préférerais ne pas voir, n'avoir rien vu et
surtout pas la façon répugnante dont elle se col-
lait contre toi en dansant

en dans... qu'est-ce que tu... danser, mais je n'ai

jamais dansé avec elle, j'ai peut-être dansé trois
fois dans ma vie, qu'est-ce que
    tu n'as jamais dansé avec elle, tu vas prétendre,
tu vas maintenant avoir le front de prétendre que
tu n'as jamais dansé alors que je vous ai vus de
mes propres yeux
    vus, mais de qui parles-tu
    de qui, tu as le front de demander de qui, le
jour même de notre mariage, et moi comme une
pauvre idiote que j'étais
    bon Dieu, cette histoire de Gilberte maintenant,
franchement
    n'essaie pas de détourner la conversation, ça
t'ennuie que je te parle de Gilberte n'est-ce pas
    pourquoi ? pourquoi veux-tu que
    parce que pendant trois ans tu m'as trompée
avec elle, crois-tu que parce que je me suis tue,
que parce que tu ne t'es jamais laissé surprendre,
que j'ai besoin, qu'une femme a besoin... comme
si ces sortes de choses il était nécessaire de... ce
sont des choses qui se sentent, qu'une femme...
elle le retrouve à la brèche du mur, je l'ai vue
plusieurs fois descendre vers le petit bois, elle
    mais qu'est-ce que
    mais qu'est-ce que, mais qu'est-ce que, oh tout
cela est dégoûtant, des chiens se conduiraient avec
plus de... je la vois encore collée contre toi, accrochée à toi et le jour même de notre mariage, alors

que moi je n'étais même pas encore ta femme
mais je me refusais à le croire, à admettre une
chose aussi dégoûtante, penser que c'était cela qui
m'attendait, avec ma meilleure amie, avec n'importe qui, avec des grues, des putains, avec toutes
ces soi-disant étudiantes, je ne savais rien de
ces choses alors, je ne savais pas quelle fourberie,
quelle duplicité un homme et une femme peuvent
déployer, elle me faisant des avances, des sourires,
nous invitant, et même pas le rouge au visage
quand je vous ai trouvés là, oh naturellement vous
étiez sur vos gardes et vous deviez avoir un mensonge tout prêt à me sortir, je suppose que si je
l'avais questionnée elle m'aurait probablement
aussi raconté une histoire de coiffeur avec bien
sûr le plus parfait naturel, d'autant plus que j'imagine facilement qu'après ce que vous veniez de
faire elle devait avoir besoin de se recoiffer, alors
n'est-ce pas ce n'était en somme pas tellement un
mensonge, si ce n'est qu'elle oubliait de dire que
le coiffeur ou plutôt le décoiffeur c'était toi, tout
ça bien entendu tout à fait par hasard, mais bien
sûr voyons, deux personnes qui viennent de se
rencontrer par le plus grand des hasards et qui
font alors quelques pas ensemble, seulement
malheureusement pour vous il y avait vos deux
figures, et ça ça ne ment pas, je pouvais le sentir,
je pouvais savoir ce que vous veniez de faire tous

les deux, j'aurais pu le dire ce soir quand elle
est rentrée dans la salle à manger qu'elle venait
de le faire, qu'elle sortait à peine de ses bras, aussi
sûrement que si elle
    mais qu'est-ce que
    l'avait fait devant moi, tout son corps le disant,
le sentant, ça entrait avec elle, en même temps
qu'elle dans la pièce, plus encore même que
l'autre ficelant son ventre, se boudinant comme
un saucisson à s'en faire crever dans l'espoir que
ça ne se verra pas, et qui l'a mise dans cet état,
je voudrais le savoir, sans doute une fois de plus
Julien, puisque apparemment il considère que
toutes les bonnes que j'engage je les paie pour
qu'il s'en serve comme... mais sans doute a-t-il
fini par considérer que c'était un dû, que cela faisait partie de son salaire, de ses attributions, un
droit de cuissage en somme, je n'ai jamais compris
pourquoi tu t'acharnes à le défendre, à entretenir
depuis trente ans à ne rien faire un homme qui
n'est même pas capable de tenir les allées propres,
je n'exige pourtant pas beaucoup, je voudrais au
moins que celle du portail ressemble à autre chose
qu'à un champ d'herbes sauvages, mais il paraît
que c'est encore trop demander, maintenant il a
même imaginé un nouveau système pour tailler
les haies de façon à ne pas trop se fatiguer, sous
prétexte que de lever un peu les bras lui donnait

des douleurs dans le dos, alors ce ne sont plus
des haies que nous avons mais des accoudoirs, et
bientôt des oreillers j'imagine, le jour où il aura
trouvé le moyen de les tailler en restant couché,
avec un dispositif qui lui permette de lire son
journal pendant ce temps, il n'y a sans doute
qu'engrosser les bonnes qui ne le fatigue pas, ce
matin encore j'ai été obligée de lui faire remarquer
que la voiture était dégoûtante et il a eu le front
de me répondre qu'il ne pouvait pas tout faire,
alors je lui dirai, et cette pauvre fille, vous avez
tout de même eu le temps de lui faire un enfant,
il n'y a pas six mois qu'elle est là, mais pour ça
n'est-ce pas le temps ne vous a apparemment pas
manqué, mais que puis-je faire, que puis-je dire
ici dans cette maison où tout le monde me traite
comme une vieille pantoufle, il serait capable de
m'éclater de rire au nez, de m'apprendre, de se
faire un plaisir de m'apprendre que ce n'est pas
lui, que c'est le métayer, ou peut-être Georges, ou
peut-être toi pourquoi pas, comme si déjà sous
notre toit tu n'avais pas, toi qui as fait de moi
une vieille femme avant même de faire de moi
ta femme, me trahissant, m'humiliant, me tuant
le jour même de notre mariage, faisant d'une jeune
fille de dix-huit ans une vieille femme obligée
déjà de supporter à ce moment-là et par la suite
encore, oh qu'est-ce que je n'ai pas dû supporter,

endurer, toujours me taisant, souffrant, supportant
sans rien dire tout ce que je voyais, sentais, non
pas une odeur mais on dirait comme un fluide,
une aura qui a pénétré en même temps qu'elle
dans la salle à manger, alors j'ai dit : où étiez-vous
donc, voyant le mensonge sur sa figure, cela aussi
tu me l'as appris, obligée de le contempler sur la
tienne pendant quarante ans, le même mensonge,
le même regard, la même chose s'exhalant de son
corps à son insu, à votre insu, mais qu'une pauvre
vieille femme comme moi peut deviner, ah oui j'ai
eu tout le temps pour apprendre à le reconnaître,
vous deux collés l'un contre l'autre dansant, elle
avec sa bouche ouverte, ses yeux chavirés comme
si tu étais déjà en train de la posséder, là devant
tous nos invités, mes parents, en ma propre présence, en présence d'une de celle... mais le hasard
fait bien les choses, le hasard, heureusement qu'il
existe un hasard pour permettre aux hommes et
aux femmes de se rencontrer, de faire l'amour par
hasard, montrant sa poitrine par hasard parce
qu'elle se tenait simplement trop penchée, oubliant
sans doute que sa robe, son décolleté bâillait toujours, la pince à sucre à la main sur le ton dis-
tingué de la conversation mondaine, combien de,
un seulement, rien qu'un, regardez mes seins,
regardez mon cul en feu, le corps en feu, descendant, entrant dans le petit bois, ils doivent se

rejoindre à l'endroit où le mur est écroulé, c'était comme si elle avait encore les marques de ses mains sur sa robe blanche, là où il l'avait touchée, à la place de ses seins, de son ventre, entre ses cuisses, je pouvais les voir aussi nettement que si elle venait de danser avec un charbonnier, danser, tous les deux, collés, les yeux chavirés, oh (continuant ainsi pendant peut-être une minute — ou deux, ou dix, ou une demie, ou un million : le temps (cette sorte de temps dans lequel sans doute elle se mouvait) étant impossible à mesurer par le fait que, de toute évidence, il n'était pas de la même espèce que celui que peut arpenter une aiguille se déplaçant sur un cadran ; ce cadran-là (celui sur lequel l'aiguille — ou l'esprit de Sabine — progressait) étant apparemment constitué par plusieurs cadrans superposés ou, si l'on préfère, concentriques, à la façon de ceux de ces horloges astronomiques où sont à la fois représentés les heures, les signes du zodiaque, les douze apôtres, les marées, les années bissextiles et les éclipses de lune et de soleil, l'aiguille pointant donc dans le même instant sur plusieurs indications, ce qui, à bien réfléchir, est aussi vrai de n'importe quelle aiguille de n'importe quelle montre achetée le jour de la première communion — ou donnée, héritée, le boîtier orné d'initiales guillochées et aux entrelacs si compliqués qu'in-

déchiffrables ou du moins si longues à reconnaître
(c'est-à-dire à désemmêler, puis, cela fait, à identifier, à attribuer à celui ou celle des dix ou douze
aïeux, grands-oncles ou vieilles cousines oubliées,
à qui elle a appartenu, ainsi qu'il en est de ces
lourds monogrammes brodés sur les draps — en
général dépareillés mais apparemment inusables
— que l'on se transmet d'une génération à l'autre :
sigles représentant chacun l'alliance d'au moins
deux familles (certaines d'entre elles conservant
parfois orgueilleusement, et le plus souvent indû-
ment aux termes de la loi salique, un nom éteint
par le fait d'une succession féminine), le mécanisme du temps et celui de la reproduction se déroulant donc tous deux sous les symboliques vestiges
d'autres temps et d'autres copulations), si longues
à reconnaître puis à attribuer (chacune des initiales enlacées par deux ou trois pouvant être celle
de plusieurs noms ou patronymes et leurs combinaisons pouvant elles-mêmes représenter une infinité d'alliances, d'accouplements, et même — le
même patronyme étant souvent, dans les familles,
héréditairement attribué en souvenir de parents
proches ou lointains — d'identités, de sorte que
les deux faces de la montre (dos et cadran) semblent présenter sans cesse une double énigme
impossible à résoudre, faite d'une multitude de
calques superposés qui, en transparence, font appa-

raître simultanément l'innombrable présence des
fantômes de personnes et d'actions défuntes), la
voix solitaire à présent poursuivant sans interrup-
tion l'espèce d'informe monologue avec quelque
chose de geignard, d'un peu égaré, d'exalté (et
même d'exultant), glissant parfois, s'infléchissant
— sinon vacillant — comme si par moments elle
avait quelque peine à se soutenir, et même devenant franchement pâteuse, Louise pouvant se
rendre compte, à la façon dont la voix résonnait
maintenant, que Sabine ne se tenait plus debout
devant la glace mais, selon toute apparence, à
la place où le vieil homme s'était déshabillé un
peu plus tôt, assise (brosses, crèmes et peignes
abandonnés, oubliés) sur la chaise basse, comme
dans son propre désespoir, son propre dénuement
(soit que ses jambes aient tout à coup accusé la
fatigue de la journée, soit qu'elle éprouvât maintenant — comme sa voix — une certaine difficulté
à conserver son équilibre), se tenant donc là au
milieu de ses voiles pendants, le peignoir japonais
pendant aussi, flasque, autour d'elle, vêtue, couverte d'oiseaux et de fleurs brodées, parmi l'assourdissant et muet gazouillis des oiseaux exotiques
aux ravissantes et délicates pattes de corail se
poursuivant sans fin sur les murs parmi les branches de cerisiers printaniers, le regard fixe, la tête
fixe, le corps immobile, les deux mains tenant, au

creux des genoux, le flacon maintenant aux trois quarts vide, puis tout à coup un cri — surprise, effroi, supplication :) Non... Je te défends... Non, je ne veux... Je t'en supplie, ce n'est que du parfum, c'est le flacon de parfum que tu m'as offert pour

Et le vieil homme : Allons, donne-moi

Et elle : Je te défends

Et lui : Allons

Et elle : Tu me fais mal, Pierre, je t'en supplie, tu me fais mal, c'est, ce n'est qu'un peu de cognac que j'ai là pour, oh, Pierre, ne me, ne me, oh je t'en prie, ne me

« Parce qu'il l'avait surprise », dit Louise (c'est le lendemain, et c'est de nouveau le soir, et elle se tient là de nouveau, parmi l'herbe folle, les feuilles, l'ombre, la complice et verte noirceur immobile, emprisonnée sous les branches, mystérieuse, clandestine, les deux silhouettes — la sienne fragile, délicate, et l'autre qui la dépasse de toute la tête, et un peu penchée — absolument noires aussi, et presque indistinctes parmi la complication végétale des ronces, la sauvage, l'exubérante végétation, et elle parlant de cette même voix lente, pensive et absente, comme si elle s'adressait non au visage indistinct penché sur elle mais au vide, au noir, regardant toujours par delà l'épaule au niveau de laquelle ses yeux arri-

vent à peine ce quelque chose d'invisible, de fascinant, que personne d'autre qu'elle ne peut voir,
disant :) « Il l'avait surprise, il avait dû se lever
sans faire de bruit pendant qu'elle parlait — et
même s'il avait fait du bruit j'imagine qu'elle ne
l'aurait pas entendu, parce que même si on avait
tiré un coup de canon à côté d'elle à ce moment-là
elle n'aurait rien entendu, parce que même le
canon, la foudre, n'auraient pas été aussi forts que
ce que sans doute elle entendait ou voyait : non
pas sa voix — car peut-être ne se rendait-elle à
présent même plus compte qu'elle parlait — mais
ce qui la faisait parler, ce que sa voix essayait non
de raconter, puisque apparemment elle ne se sou-
ciait même plus d'être entendue et encore moins
de ce minimum de cohérence qu'il est obligatoire
de donner à ses paroles pour se faire comprendre,
c'est-à-dire, en y réfléchissant, pour ne pas se faire
comprendre, parce que c'est tout de même assez
comique et même complètement absurde d'être
obligé, de se croire obligé de s'exprimer d'une
façon cohérente quand ce que l'on éprouve est
incohérent, ainsi moi, par exemple... »

Et lui : « Quoi ? »

Et elle : « Oh rien, ça n'a pas d'importance.
Mais ils se sont battus. C'est-à-dire comme ils
pouvaient : lui avec ses cent vingt kilos de graisse,
de chair, de poids mort, ses jambes qui peuvent

à peine le porter, et elle qui devait être à peu près
complètement saoule à ce moment-là. C'est-à-dire
pas battus à proprement parler, pas se donnant
des coups, non, mais comme on se bat, ou plutôt
comme on lutte pour la possession de quelque
chose que l'autre détient, deux vieillards acharnés
— quoique pourtant ni lui ni elle ne soient à proprement parler des vieillards, je veux dire dans
l'acception commune de ce mot, avec ce qu'il
implique de déchéance physique et morale, mais
cependant dégradés l'un et l'autre, réduits à un
état voisin de la sénilité, lui par ce formidable
et parasitaire fardeau de viande morte, semblable
à un homme qui serait obligé de porter sans cesse
le cadavre d'un autre ligoté à lui, comme dans
quel est donc ce pays où les couples de voleurs
sont abandonnés après le supplice, le survivant
(celui que par un raffinement de cruauté on a
laissé survivre) attaché tout entier, membre à
membre, visage contre visage, au corps de l'autre,
supportant donc non seulement le double de son
poids mais subissant l'horreur, le dégoût, assistant
par avance, encore vivant, à sa propre décomposition, plus qu'un vieillard donc, et elle, plus qu'une
vieille femme, elle qui, si elle ne se couvrait pas
de peinture, de bijoux et de robes époustouflantes,
pourrait encore être sinon ce qu'elle s'acharne à
vouloir rester, croit sans doute — qui sait ? —

toujours être (la fille iris de la photo de mariage :
puisqu'elle est capable de revivre encore aussi brû-
lante l'injure, la souffrance — ou ce qu'elle s'imagine avoir été une injure, une souffrance, qui n'a
peut-être été ni injure ni souffrance à ce moment-
là, mais qu'elle a peu à peu transformé au cours
des années en une réelle injure, une réelle souffrance — ressenties en voyant l'homme qu'elle
venait d'épouser faire un tour de valse avec sa
première ou deuxième demoiselle d'honneur, res-
sentant cette souffrance aussi intensément, sinon
même plus intensément que quarante ans plus
tôt...), elle donc, qui pourrait encore rendre des
points à bien des femmes de dix ou vingt ans plus
jeunes, dans cet état (l'ivresse) où toute notion
d'âge disparaît, est dépassée : vieille pocharde —
clocharde — couverte de diamants, vieille Déjanire
radotant, accrochée, se cramponnant au philtre
magique (le flacon de parfum, c'est-à-dire, de
cognac) qu'elle tentait désespérément de sauver,
comme à... »

S'interrompant, disant brusquement (la voix
farouche, sauvage, tout à coup, quoiqu'elle n'ait
pas haussé le ton, ni fait un geste, ni cessé de
regarder ce quelque chose impossible à voir mais
sans doute fascinant, redoutable) : « Emmène-moi
d'ici, partons... »

Et lui : « Oui. »

Et elle : « Emmène-moi vite. »

Et lui : « Oui, tu le sais, nous... »

Et elle : « Partons d'ici, filons, je ne veux plus y rester un jour de plus, une heure, une minute de plus, tout de suite... »

Et lui : « Tout de suite, comme ça, maintenant, mais tu... »

Et elle : « Ça va être l'heure du dîner, je dirai que j'ai mal à la tête, je monterai faire une valise en vitesse, une mallette, l'indispensable, je te retrouve ici... »

Et lui : « Mais... »

Et elle : « Mais quoi ?... »

Et lui : « Je croyais que tu m'avais dit que tu voulais attendre qu'elle soit... »

Et Louise : « Morte ? Mais elle est morte... Attendre qu'elle soit quoi ? Dans la terre ? A quoi bon... Est-ce qu'elle est autre chose qu'une morte, là-haut, dans ce lit... »

Mais sachant (en même temps qu'elle entend sa propre voix le dire) que ce n'est pas vrai, que ce ne sont là que des paroles, des mots pour s'abuser, s'étourdir, et que quand même elle serait vraiment morte, aucun souffle ne venant plus ternir, embuer le miroir (pensant : « Car sans doute a-t-elle (la garde, la bossue) également ça quelque part dans ses poches, ou dans son sac, prête à toute éventualité, avec aussi la mentonnière et les

paroles de circonstance — et, j'imagine, à la
demande, les prières à dire »), et même sous terre
(c'est-à-dire sous les trois ou quatre tonnes de
marbre du caveau dont sans doute les premiers et
légitimes occupants contraints, par Sabine, de se
serrer pour lui faire place, l'accueilleront en mau-
gréant), elle n'aura pas pour cela fini d'être là ; s'interrompant donc (Louise), disant très vite : « Oh,
je crois que je ne sais plus ce que je dis, je crois
qu'ils sont en train de me rendre idiote... », se
disant qu'il faudrait bien, qu'il allait bien falloir
d'une façon ou d'une autre arriver à la tuer, s'en
débarrasser : non pas le si peu que rien, le fragile
amas d'os et de chairs desséchées qui soulevaient
à peine le drap, le corps tout entier, maintenant
semblable à une mince poignée de brindilles, un de
ces fagots comme les vieilles en ramassent et (de
retour à la maison, dénouant leur tablier) laissent
choir devant l'âtre, qui se répandent, s'éparpillent
sur le sol (ce qui sans doute, pense-t-elle, se pro-
duirait si on essayait de la lever, ou seulement
même de l'asseoir dans son lit...) avec un imperceptible et creux cliquetis d'ossements, ou même
pas : d'allumettes ; non pas donc la vieille femme,
le hautain, le lointain cadavre qui n'en finissait pas
de mourir (pensant : « Mais rien n'en finit jamais,
ça n'en finit jamais, rien... » entendant — croyant
toujours entendre — l'interminable plainte, la voix

pleurarde et désolée, la burlesque et éternelle
jeune épousée au visage peinturluré, ravalé, la
femme iris (et, somme toute, toujours semblable
à un iris, c'est-à-dire exhalant cette déchirante
mélancolie des fleurs fanées : pouvant, croyant la
voir, affalée, effondrée sur cette chaise basse de la
salle de bains comme un vieux tas de chiffons :
quelque chose — avec ses fards, son kimono, cette
toison orange — comme les pétales eux-mêmes
d'un mauve à la fois agressif et passé, tachés de
cette pelucheuse flamme jaune, impalpables, fripés), la femme occupée derrière la mince cloison à
ressasser sans fin comme la lamentation même de
la chair putrescible, gémissante et terrifiée) : non
pas donc se débarrasser de, en finir avec, détruire
ce qui, dans la chambre où le T de soleil rampait
lentement au long des lentes et interminables journées, n'était déjà guère qu'une simple dépouille
dans laquelle la vie (le sang, l'air subtil, le compliqué et subtil mécanisme d'échanges et de méta-
morphoses par quoi l'air invisible lui-même se mue
par une série de transmutations à l'intérieur de ce
lacis, de ce labyrinthe, de cet obscur et mystérieux
dédale de viscères, d'organes dessinés en rouge et
en bleu sur les planches d'anatomie, en quelque
chose d'encore plus subtil, invisible, insaisissable :
la pensée, l'amour, la conscience), dans laquelle la
vie ne continuait plus que, sans doute, par la vitesse

acquise, s'éteignant, s'affaiblissant par degrés, insensiblement — non, mais seulement se débarrasser de ce qu'elle (non pas la défroque, la dépouille, mais celle — l'invisible noyau d'invisible conscience, d'invisible amour, d'invisible pensée — qui l'avait habitée) avait laissé derrière elle, cette formidable et écrasante pyramide que l'orgueil du plus orgueilleux des pharaons lui-même eût été impuissant à concevoir et qu'elle — la vieille femme maintenant en train de mourir, sinon déjà morte — s'était élevée à elle-même et, en quelque sorte, à son insu (de même qu'à son insu, du mince, de l'insignifiant amas de brindilles gisant sur le lit s'élevait maintenant, indiscret, indécent, insupportable, ce râle tonitruant de Cyclope ou de Pythie) : cette pyramide, ce monument — c'est-à-dire le contenu de la boîte de berlingots sur laquelle continuait à sourire, niaise, la dame au petit chien frisé couchée dans l'herbe — lui-même parvenu entre les mains de Louise, non pas directement transmis, légué, mais par l'intermédiaire d'un personnage — la garde bossue — aux apparences, aux fonctions et à la nature en quelque sorte mythiques.

Et alors, toute la journée (le surlendemain donc), la passant dans sa chambre (les volets là aussi tirés entre elle et l'éclatante, l'orageuse lumière de l'été moribond — l'été qui allait peu à

peu ainsi s'épuiser, par degrés, d'orage en orage,
comme si chacun emportait, lui enlevait un peu
de sa substance — cette épaisse et opaque matière,
comme la pâte d'un pinceau trop chargé, dans
laquelle il semble être coulé tout entier : les lents
ciels lourds, la lourde et verte senteur de foins
coupés, d'herbe tiède, de terre tiède, de fruits
tièdes, mûrissants, pourrissants —, les orages
(comme celui de l'avant-veille) d'abord aussitôt
épongés, bus par la terre velue, la molle et grise
poussière, puis, peu à peu, attaquant l'été, le lavant,
le détrempant, le trouant d'ombres transparentes,
s'allongeant, puis, plus tard encore, l'entraînant,
l'emportant, ni plus ni moins qu'une aquarelle se
délayant, glissant, s'abîmant parmi l'humide, brun
et silencieux froissement des feuilles qui se déta-
chent, tombent, ne laissent plus à la fin que le
noir entrelacs des branches nues et raides s'entrechoquant, oscillant avec raideur dans la virginale
et métallique pluie d'hiver), la passant donc dans
sa chambre, le contenu de la boîte piquée de rouille
— les carnets, l'hétéroclite trésor de boucles de
souliers et de bagues à deux sous — étalé devant
elle, non pas tant dans l'espoir d'y découvrir quoi
que ce soit, qu'animée, commandée par cette conscience têtue du prospecteur malchanceux qui continue jusqu'au bout à fouiller mètre par mètre la
concession qui lui est échue, pensant que s'il finit

par y trouver ce qu'il cherche il en sera alors délivré, et que s'il ne l'y trouve pas il sera délivré aussi,
parce qu'il aura au moins acquis la certitude qu'il
n'y a rien qui puisse être trouvé (quoiqu'en même
temps, avant même de commencer, ouvrant le couvercle, elle pensât : « Mais il n'y a rien, je le sais »,
haussant les épaules, pensant, secouée par cette
sorte de rire silencieux, morne, qui est comme le
contraire du rire : « Oui : alors on dirait cette fable
idiote : le laboureur, le champ, le trésor, et les
idiots de fils le tournant et le retournant sens dessus dessous. Avec cette différence que je suis encore
plus idiote qu'eux, puisque moi, je sais d'avance
qu'il n'y a rien, et que tout ce qu'elle a voulu en me
le donnant, c'est-à-dire en me le faisant donner, ou
plutôt, pas elle, parce que peut-être pas plus
qu'elle n'a conscience de ce bruit qui sort d'elle
maintenant, c'est-à-dire se sert d'elle pour...»), sans
l'espoir d'y découvrir quoi que ce soit mais s'achar-
nant, s'obstinant, tournant l'une après l'autre avec
la même fiévreuse avidité, la même incrédule stupeur que la première fois (et que rien, elle le sentait, ne pourrait jamais atténuer, quand bien même
elle les relirait pour la millième fois, les regarde-
rait jusqu'à les savoir par cœur) les pages de papier
grisâtre et quadrillé portant chacune en tête comme
un fatidique leitmotiv « Reste en caisse... », la
moitié droite divisée par les deux colonnes : « Dé-

penses», «Recettes», l'accumulation, le formidable, vertigineux et patient entassement de chiffres minuscules — la plupart de l'ordre des dizaines, exceptionnellement des centaines, les centimes scrupuleusement portés eux aussi —, les justifications pudiques, impassibles : « Frais docteur... Transport cimetière... », ou minutieuses, prolixes : « Electricité 15 juillet-15 août : 19 Fr 30 (mais j'ai utilisé le réchaud électrique pendant cette période pour le petit déjeuner, le thé de 5 heures et pour bouillir le lait, ce qui explique la différence) », ou : « Le 3 j'ai exactement 2.700 Fr dans l'enveloppe et rien dans mes sacs, j'ai envoyé à la Caisse de Sécurité 967 Fr d'économies se décomposant de cette façon : 608 Fr pour 1947; 162 Fr pour 1er trimestre 48; 197 Fr pour 2e trimestre 48 », la tranquille énumération, addition et soustraction de loyers, de traitements — et plus tard de retraites — de mandats, d'affouages de bois, de pelotes de laine, de locations de champs, de ventes de noix, de notes de fumistes ou de plombiers, de ressemelages, de paquets de lessive, de casseroles, de garnitures pour corsages (changeant d'abord le col et les poignets, et plus tard le corsage lui-même, et, plus tard, de nouveau le col et les poignets, et ainsi de suite de sorte que, n'ayant rien jamais de tout à fait neuf, le corsage conservait toujours ce caractère d'inusable et intemporelle entité, non plus un corsage, mais le corsage, comme la maison, la table, le fauteuil), et encore de titres du Crédit Foncier, d'obligations des Chemins de Fer de l'Etat, ou de dixièmes de dixièmes de parts de puits de pétroles ou de sociétés anonymes recommandées par un de ces offices spécialisés, avec, entre les deux pages du carnet, une enveloppe contenant la double correspondance, le brouillon de la lettre envoyée, l'écriture penchée, décente et impersonnelle aux lettres soigneusement formées — et même pas tremblée, pas même altérée par une indignation contenue : et sans doute parce que organiquement inaltérable, et sans doute parce que sans indignation, s'enquérant simplement, comme si l'escroquerie, le vol lui-même, éhonté, déclaré, étaient impuissants à modifier tant soit peu cette indéfectible confiance, cette indéfectible foi dans son semblable, écartant, repoussant comme une chose malpropre, malodorante, dégradante en elle-même, l'idée, le soupçon seul de vol, d'escroquerie :

« Monsieur,

Le 1ᵉʳ mars 1935, je vous écrivais que, sur vos conseils, j'avais acheté en juillet 1933 deux actions de la Compagnie Internationale des Hydrocarbures et que, depuis, je n'avais jamais entendu parler de cette Société, et je vous demandais si j'avais quelque chance de récupérer l'argent déboursé.

Vous me répondiez que, vu la crise boursière, il ne fallait pas chercher pour le moment à vendre ces actions. Je vous renouvelle aujourd'hui ma question et vous serais bien obligée de me dire si cette affaire existe encore et où elle en est.

Recevez, Monsieur, avec mes remerciements, mes sincères salutations. »

et la réponse, tapée à la machine sur papier à lettre à en-tête gravé, avec une adresse parisienne, peut-être après tout réelle, puisque apparemment le courrier y parvenait et que vous pouvez aussi bien — sinon mieux et plus impunément — escroquer les gens en ayant pignon sur rue qu'en pratiquant le vol à la sauvette (à moins qu'ils se contentassent d'entretenir un type — ou à moins encore que ce ne fût le même type faisant office à la fois de conseiller, de dactylo et de garçon de courses — chargé de monter la garde devant l'immeuble aux heures des tournées du facteur et de se précipiter sur lui avant qu'il n'entre chez la concierge et de revenir en vitesse avec le paquet de lettres pour taper les réponses en série sur la machine installée sur la planchette elle-même posée sur le lavabo crasseux d'une chambre de meublé), et une suite impressionnante de numéros de téléphone peut-être après tout, eux aussi, réels :

« Mademoiselle,

Nous vous prions de bien vouloir nous excuser

du retard apporté à répondre à votre lettre, retard dû à l'abondance du courrier que nous recevons depuis la reprise de la Bourse. Nous avons l'honneur de vous remettre ci-inclus les renseignements sur la valeur qui vous intéresse.

Toujours dévoués à vos ordres, nous vous présentons, Mademoiselle, nos respectueuses salutations. »

et, attaché à la lettre par un de ces coins de métal cannelés et dorés, le renseignement aimablement fourni, également tapé à la machine sur le lavabo douteux et parsemé de cheveux, le quart d'une feuille ayant cette fois été jugé suffisant, et sans en-tête :

« Compagnie Internationale des Hydrocarbures

On nous dit que ces titres ne font l'objet d'aucune demande actuellement et qu'aucun coupon n'a été payé sur ces titres. »

Louise remettant les deux lettres dans l'enveloppe, elle-même entre les deux pages, pensant : « Mais ce n'est pas ça. Pas seulement quelques centaines, quelques milliers de francs. Quelques centaines, quelques milliers d'heures, qu'est-ce que ça pouvait... Alors ? », faisant glisser l'un sur l'autre les carnets (à la façon d'un jeu de cartes, les couvertures comme les dos des cartes, et une fois la carte (la couverture) tournée, cette énigme : les

énigmatiques signes, les énigmatiques, bonasses ou
cruelles figures de la chance ou de la guigne, l'impassible visage du hasard), les couvertures entoi-
lées ou cartonnées, unies ou marbrées, ou encore
faites de ce carton bon marché, rose ou vert pâle,
des cahiers d'écoliers à deux sous, traditionnelle-
ment ornés, comme les cahiers, d'un de ces traditionnels motifs allégoriques, patriotiques et guer-
riers — légion d'honneur, clairon ou coq battant
des ailes devant un soleil d'Austerlitz aux rayons
déployés —, l'un d'eux, imprimé en bleu sur fond
vert, représentant un faisceau de licteur romain
au centre de deux drapeaux entrecroisés dont les
plis retombaient sur un cartouche encadrant le mot
Gloria en caractères eux aussi d'inscription romai-
ne, les deux branches d'une couronne de vainqueur
— ou de distribution de prix — jaillissant de derrière le faisceau, l'une un rameau de laurier, l'autre
de chêne, le tout, les flasques étendards inclinés,
la hache, les verges assemblées et la couronne césa-
rienne, comme d'emphatiques et clinquants symboles (Louise pensant à la vieille fille assise,
impassible et raide, pendant trois jours et trois
nuits dans son wagon à bestiaux, le chapeau de
paille noire posé bien droit sur sa tête, les mains,
dans les gants de fil noirs bordés d'un mince liséré
blanc, appuyées sur le manche du parapluie, l'une
d'elles se détachant parfois, sortant du sac noir

et râpé le mouchoir plié en quatre et d'un blanc
immaculé dont elle essuyait furtivement la sueur
à son front, et le replaçant ensuite dans le sac, de
nouveau impassible et raide, tandis qu'autour
d'elle un pays entier se débandait, s'effondrait,
s'abîmait dans un fracas de vociférations et de
métal — qui était comme le contraire même des
vivats et des viriles trompettes de la gloire —,
glissait comme la gélatine sur une pellicule, fondant, ne laissant plus subsister que le celluloïd
transparent et la petite forme noire, indélébile,
assise dans le vide), ces symboles semblant placés
là par un dessinateur facétieux ou imprévoyant
à l'usage sans doute des jeunes têtes bouclées
emplies de rêves batailleurs et cruels, et — comme
ces vieux effets militaires, ces vieilles capotes, ces
vieux houseaux sans gloire finissant, veufs de doru-
res et d'éperons, accrochés derrière une porte de
ferme ou arpentant les longs sillons — échouant
à côté de la botte de poireaux dans le filet à pro-
visions ou étalés sur le coin d'une table de cuisine
sous les doigts maladroits et crevassés guidant
avec application les deux centimètres de crayon à
la mine sucée, Louise pouvant voir, page après
page, la terrifiante répétition, la terrifiante suite
des jours, les pages maintenant divisées horizontalement, le trait séparant chaque jour courant
d'un bord de la feuille à l'autre, comme ceci :

Mardi 3	bifteck	2,70
	raisin	3,50
	journal (le mois)	7,50
	pain	0,90

Mercr. 4	confiture 1 K.	9
	biscuits 1/4	8,50
	fromage	2
	jambon	4,50
	raisin 1 K.	3,50

| Jeudi 5 | haricots | 2 |
| | savon | 1,80 |

Vendr. 6	poisson	3,70
	jambon	2,80
	raisin	3
	pain	0,90

Sam. 7	pain	3
	jambon	3,20
	haricots	0,70
	bananes	1,60
	œufs	4,50

Dim. 8	jambon	2,50
	fromage	1,20
	raisin	3,20

café		3,50
sel		0,70
biscuits		16
lait		0,50

Lundi 9	viande bifteck	3
	vin 1 litre	2,50
	salade	0,50
	céleris	3,20

l'interminable échelle de Jacob s'élevant, s'allongeant, carnet après carnet, et sans commencement
ni fin, semblait-il, c'est-à-dire interchangeables (les
carnets) dans le temps, les millésimes (1924, ou
1912, ou 1937) ne correspondant à d'autres différences que celles des prix (la virgule peu à peu
repoussée vers la droite, franchissant une décimale,
puis deux), le lent passage du temps, la lente et
pendulaire oscillation sur son axe du monde
emporté dans les espaces seulement perceptible
par le retour périodique et saisonnier des différentes espèces de fruits, les invariables achats
saisonniers de sucre pour les confitures ou de vinai-
gre pour les cornichons, Louise, à la fin, rejetant
les carnets dans un geste de colère, de désespoir,
et ce fut alors que la photographie s'échappa de
l'un d'eux, tomba, elle-même semblable — l'épreuve
au bromure mal fixé, jaunie, aux reflets bruns —
à une feuille morte, avec son assemblée de person-

nages morts posant, non pas compassés ni cérémo-
nieux mais, comment dire, un peu raides certes,
un peu figés (mais moins par l'effet d'une con-
trainte que par celui de l'habitude, de cette paisible,
souriante et roide bienséance des gens qui ne
savent pas — n'ont jamais appris, n'ont jamais eu
le temps, ni l'occasion, ni même l'idée de — se
reposer complètement, comme ces vieilles de la
campagne que l'on peut voir dans le train passer
la nuit entière assises sans bouger, le panier à pro-
visions sur les genoux, sans même qu'il leur vienne
à l'esprit de s'appuyer au dossier de la banquette,
et encore moins de fermer les yeux, et encore moins
de se lever pour aller se détendre les jambes dans
le couloir), immobilisés donc, dans cette sorte de
dignité, de gravité naturelle, dans ce jardin (ou
plutôt, bien qu'il y eût, au centre, quelque chose
comme un massif, pas tout à fait, ou pas encore
un jardin : encore un verger — comme le pan de
mur et le long toit visibles sur la droite de la photographie sont encore ceux d'une grange, la ou
l'ensemble de granges, de greniers, qui sans doute
deviendront plus tard, au fur et à mesure des four-
millesques travaux et aménagements étalés sur
quarante ans et payés rubis sur l'ongle avec les
économies faites sur le nombre des morceaux de
sucre dans le café et les robes retapées sans fin,
la vaste, l'aberrante maison à l'entêtant parfum de

pommes sûres décrite par Georges), l'arrière-
plan, derrière les personnages, presque décoloré,
constitué par un confus entrecroisement des branches de pruniers retombantes, semblable à une
pâle dentelle jaunie, comme celles qu'elle (Marie) avait un jour montrées à Louise, conservées
dans une de ces longues boîtes en carton glacé,
à moitié crevée, ceinturée elle aussi de plusieurs
tours de lacet, et qu'elle avait sans doute sauvée,
emportée, tenue contre elle dans le sac contenant aussi la boîte à berlingots pendant les trois
jours de wagon à bestiaux; et elle-même assise là,
et parfaitement reconnaissable — Louise se penchant un peu plus, calculant mentalement en regardant le petit garçon aux culottes descendant jusqu'aux genoux, à la tête tondue, au col empesé, à
la cravate en coques, balançant sous sa chaise des
bottines à boutons, et pensant : « A peu près dix,
douze ans, donc elle... », puis sursautant, regardant
plus attentivement encore, pensant: « Mais ce n'est
pas possible, il... Mais ce n'est pas Georges, c'est...
c'est... », retournant brusquement la photo, lisant
alors, moulée dans la même écriture consciencieuse
et penchée, la date, « Août 1896 », regardant de
nouveau la tête ronde du gamin sagement assis,
l'air un peu ennuyé, trop sérieux, essayant de gref-
fer dessus la barbiche, le lorgnon — tandis qu'impossibles à apparenter, à réunir, les deux images se

superposaient maintenant : l'enfant sage aux
genoux noueux, au petit visage studieux, un peu
triste, et le vieil homme, envahi, écrasé, étouffé par
le monstrueux poids de sa propre chair, luttant à
la fois contre son corps difforme, cette sorte d'outre, de chancelante montagne, et la vieille Déjanire
hoquetante — composant tous les deux un de ces
groupes pyramidaux, comme dans ces tableaux
reproduits dans les pages illustrées du Petit
Larousse représentant un de ces épisodes mytho-
logiques ou bibliques, dans un décor à l'antique,
avec un carrelage dessiné en rigoureuse perspec-
tive (celui de la salle de bains : la salle de bains
elle-même semblant conférer à la scène comme un
caractère intemporel, par l'effet sans doute du
caractère vaguement équivoque, trouble, de ces sortes d'endroits — ablutions, peignoirs, tenaces sen-
teurs de parfums, de chair flottant là, suspendues,
miroirs semblant garder, invisibles mais présents,
les reflets de corps nus ou drapés comme une
confuse évocation d'Antiquité ou d'Orient —, et
dedans les deux personnages aux visages grima-
çants, haletants, engagés dans une incompréhensible lutte que le titre énigmatique du tableau (illus-
trant un épisode oublié de l'histoire ou de la lé-
gende), les noms des personnages eux-mêmes
oubliés gravés sur le cartouche de cuivre, vissé sur
le cadre, que l'on peut déchiffrer en se penchant

n'éclairent que médiocrement (sinon obscurcissent
encore), le spectateur cherchant à se rappeler quel
roi et quelle reine du passé (ou quel Hercule adi-
peux, décrépi et poussif, quelle sorcière et quel
vieux monarque cherchant à lui arracher la fiole de
poison) ont lutté, sont condamnés à lutter sans fin
avec ces visages aux traits convulsés par l'effort
et la passion dans un froid, géométrique et voluptueux décor de sudarium ou de bain turc, parmi
les buveurs hollandais, les allégories et les Doges
de Venise, au sein du perpétuel et poussiéreux
silence du musée seulement troublé par les sporadiques cavalcades d'Américaines à talons plats ou
d'Allemands déversés par autocars entiers, traversant au galop, jacassants, essoufflés et respectueux,
les longues et royales enfilades de galeries sous les
longues et royales voûtes un moment réveillées,
violées, puis retombant, reprises (la dernière Amé-
ricaine, le dernier professeur allemand disparaissant, là-bas, minuscules, au fond des royales perspectives) par le majestueux et mortel silence où
Ruth et Booz, les paysans flamands et les blonds
corps nus des molles Vénitiennes se succèdent
sans fin, pétrifiés dans leurs cadres dorés), le sommet de la pyramide formée par le groupe des deux
personnages étant occupé par le flacon (le philtre,
le poison, le charme, le cognac) désespérément
tenu hors de portée et vers lequel se tend un bou-

quet de mains avides (et, semble-t-il, multipliées,
sortant, jaillissant de toutes parts), et Louise toujours immobile dans cette salle de bains en quelque
sorte symétrique, pouvant, lui semblait-il, les voir,
à la fois tragiques et grotesques, jusqu'à ce que lui
parvînt, au-dessus des deux souffles mêlés, le tintement du flacon brisé, et le cri déchirant de Sabine,
et le bruit sourd des deux corps mêlés tombant
pour la première fois — et sur la photographie
jaunie le même visage qui maintenant, momifié
(ossifié), gisait sur l'oreiller, identique, empreint
de cette même invincible expression de paisible
virginité, simplement rempli, recouvert par la chair
alors intacte, lisse (non pas précautionneusement
préservée, abritée sous des ombrelles ou des crèmes, fragile, tributaire d'onguents, sa texture non
pas faite d'une pâte de porcelaine à la recette
compliquée à base de poudre de riz et menacée
de se désagréger, de retomber en poussière au
moindre choc, mais dure, simple, et même rude),
les mains pleines, fermes et rudes elles aussi (la
droite — celle qui maintenant, décharnée, semblable à une patte de poulet, allait et venait sans trêve
sur le drap, capable alors aussi bien de tracer sur
le tableau noir les lettres aux boucles impeccables,
aux pleins et aux déliés impeccables, que de tenir
le manche d'une bêche et de sarcler un champ de
pommes de terre — la droite, un peu pendante, le

bras replié sur le dossier de la chaise, la gauche
posée sur le dos d'un chien les deux pattes de
devant allongées sur sa cuisse — pas un petit chien
blanc, frisé et enrubanné, pas plus qu'elle-même ne
porte une robe blanche et enrubannée (mais sombre, au col montant) et n'est allongée dans l'herbe
(mais assise sur une chaise), le chien au poil ras,
et sombre lui aussi, et au corps, aux muscles durs
lui aussi, de sorte qu'elle, la chaise et le chien ont
l'air faits d'une seule et même matière, inaltérable,
comme si (peut-être est-ce la teinte brune de la
photographie et leur immobilité qui donnent cette
impression) on les avait fondus et coulés ensemble
dans quelque chose comme du bronze), le même
regard clair, transparent (bleu), tranquille, dirigé
vers les personnages assis sur le banc de jardin,
de l'autre côté de la table de fer sans napperon où
sont disposés des verres à pied (blanchâtres sur la
photographie, comme dépolis : plus vraisemblablement recouverts de cette légère buée due à la condensation parce que l'eau dont on s'est servi pour
allonger le sirop vient du puits glacé, où était aussi
sans doute tenue à tout hasard la bouteille de vin
— probablement du rosé, pelure d'oignon — sur
laquelle la buée semble comme une grisâtre couche
de poussière, disposée également sur la table
mais à peine entamée, comme si les trois hommes
présents — les deux figurant sur la photographie

et, sans doute, le photographe lui-même —
n'avaient fait, eu égard à la présence des dames,
qu'en verser ou en accepter deux doigts dans leurs
verres avant de trinquer) et une assiette de biscuits
pour les visiteurs venus tirer la sonnette, pousser
la grille rouillée et grinçante vers la fin de cet
après-midi d'été, le bruit paisible des voix (pas le
brouhaha, les rires cristallins, le tintement cristal-
lin des impalpables coupes de champagne — et
peut-être aussi les flons-flons de l'orchestre (puisque Sabine parlait d'une valse) arrivant par les
portes-fenêtres ouvertes du salon pendant que le
photographe officiel s'affairait devant le groupe
des joyeux garçons d'honneur, les joyeux, jeunes
et insouciants condamnés à mort en plastron et
cravate blanche ou dolman d'officier à brande-
bourgs — l'un d'eux cavalièrement assis à califour-
chon sur une chaise dorée, un cigare bagué entre
deux doigts —, ces joyeux invités parmi lesquels
se tenaient les deux sœurs, Marie et Eugénie, dans
leurs lourdes, coûteuses et sévères robes commandées à Paris, au milieu des plantes vertes, rigides,
élégantes et minces de la véranda), le bruit paisible
des voix semblant donc flotter, suspendu, immatériel, bienséant, au-devant de la pâle dentelle du
verger, parlant sans doute de recettes de framboise,
de l'été pluvieux, des coins à champignons dans
les bois : d'un côté, ainsi, elle et sa sœur (celle dont

la maladie, puis la mort, ne devaient laisser plus tard d'autres traces qu'un nom souligné deux fois sur une page de carnet, puis une simple mention entre celle de la location d'un champ et le décompte des frais d'inhumation), et l'homme (le vieux paysan illettré qui avait pensé, cru que ses enfants, en même temps qu'ils apprendraient le secret de ces signes qu'il n'avait, lui, jamais pu déchiffrer ni tracer, acquerraient, s'approprieraient du même coup tout ce... qui sait quoi ? en tout cas quelque chose dont lui-même avait été frustré, se tenant là, avec sa moustache hérissée, ses jambières de cuir, ses yeux clairs fixant l'objectif, le visage ridé et souriant empreint de ce quelque chose d'intraitable qu'ont en commun les gens de la terre, d'âpre, d'avide — mais lui, pas d'argent : guignant, ambitionnant, non le pré du voisin, un meilleur attelage de bœufs, une vache de plus dans l'étable, mais ce qui, devait-il penser, pouvait permettre de se passer de prés, de bœufs, de sueur : pénétré, imbu d'une superstitieuse confiance dans ces mots qu'il ne pouvait qu'entendre et prononcer (et peut-être en les écorchant), c'est-à-dire le savoir, la science, ce que renferment les livres, révolté donc (puisque incarnant cette insatiable et crédule soif de connaître et de dominer qui est l'expression par l'homme du refus de sa condition), planté ou plutôt carré là, debout à côté de la table, moustachu.

farouche, boueux et indestructible, comme l'affir-
mation même de l'indestructibilité de toute révolte,
même vaine, et de tout espoir, même illusoire) —
et, en face, sur le banc, la dame, la visiteuse, au
chapeau fleuri et volumineux, en robe de ville (sans
doute l'épouse du photographe amateur en train
d'opérer — celle qui parle des recettes de framboise
et de la pluie), mais ce n'est pas elle qu'elle (Marie,
la jeune fille enfermée, coulée dans sa sévère robe
couleur de bronze et dont la main posée sur le chien
sait manier la craie et, tout autant, le râteau à
faner, ou la houe, ou la hache pour fendre le bois),
ce n'est pas elle qu'elle regarde (et non pas rou-
gissante, furtivement, car rien ne lui vient à l'esprit
qui puisse la faire rougir ou détourner les yeux, elle
qui est habituée depuis toujours à regarder sans
rougir les boucs, les bêtes s'accoupler : le regard
transparent et bleu paisible, direct, sans émoi) :
pas la visiteuse, mais celui qui est assis à côté
(peut-être venu avec, amené par elle ou son mari,
ou peut-être, passant, hélé par-dessus la haie par le
père, le vieux paysan analphabète, et entrant, poussant à son tour la grille rouillée, s'excusant de sa
mise, de la poussière blanche qui poudre ses souliers, protestant, obligé de relever de son verre le
goulot de la bouteille, disant : « Un doigt seulement ! » et s'asseyant, et se taisant) : l'air (avec ses
cheveux ras, sa tête ronde, sa moustache tombante

— et non pas retroussée, frisée, comme celle des jeunes garçons d'honneur, des jeunes et turbulents officiers de dragons aux cigares bagués —, son haut col dur, sa cravate à système, son gilet à fleurs, ses culottes et ses bas cyclistes, et le havresac posé à côté de lui sur le banc) d'un jeune professeur ou plutôt d'un instituteur en vacances (et peut-être botaniste amateur, ayant passé la journée à herboriser, ou passionné d'entomologie, avec peut-être aussi dans le sac un livre de Rousseau, ou de Fourier), et elle le regardant, et lui regardant obstinément droit devant lui, et peut-être, un peu plus tard, les deux silhouettes — la robe de bronze et celle en culotte cycliste — glissant lentement, déchiquetées, entre les branches croulantes du verger évanescent (comme si Louise avait pu les voir, les suivre des yeux, par exemple de l'intérieur de la maison, regardant le jardin, les arbres, les personnages morts et graves se mouvant au ralenti, à travers un de ces carreaux de couleur (jaune) comme on en mettait autrefois aux portes vitrées, séparée d'eux moins par l'infranchissable épaisseur du temps que par l'obstacle du verre invisible. trompeur, comme celui d'un aquarium où il semble qu'il n'y ait qu'à étendre la main pour pouvoir toucher ce qu'il y a derrière, et, en fait, aussi dur et froid qu'une dalle) et le chien bondissant autour d'eux, et eux parlant ensemble de l'enfant, lui

posant tout en marchant sa main sur la tête ronde
qui arrive à peine à hauteur de sa taille, et elle le
conduisant au meilleur prunier, et, tous les deux,
secouant l'arbre, riant — ou plutôt le prunier
secoué, le froissement de feuilles, sans que l'on voie
autre chose qu'un fragment de robe, une main, un
bras ? — et rien d'autre (ou peut-être — presque à
voix basse à cause de l'enfant qui marche toujours
auprès d'eux — lui faisant sa demande, demandant
la permission de revenir, et elle disant Oui en le
regardant bien en face, de ses yeux clairs, tranquilles, puis les abaissant sur l'enfant, disant : « Notre
père voudrait qu'il soit professeur... » (ou peut-
être, parlant encore comme la paysanne qu'elle est,
qu'elle n'a pas cessé d'être : « Le père voudrait...»),
et non pas en elle la soumission, la passive obéis-
sance filiale, la résignation, mais cette même
sereine, rigide, souriante et virginale conviction
(ou croyance — mais en quoi ?) faite aussi d'une
matière aussi indestructible que le bronze, et lui
disant Oui, comprenant, faisant le calcul, pensant
peut-être : « Très bien. J'attendrai. »), et pas plus,
non, entre les branches presque effacées du verger,
(ou peut-être même pas cela), et puis quelque
chose sans doute qui avait dû empêcher que l'attente ait une fin...

Et Louise pensant, disant presque à haute voix :
« Bien. Et alors ? Mais je le savais, je m'en doutais.

Quelque chose comme ça. Ce n'était pas bien difficile à imaginer. Et alors ? » Puis se retrouvant
debout dans l'éblouissante lumière déclinante de la
fin d'après-midi, la tiède odeur de l'été (clignant
des yeux, un peu étourdie, comme quelqu'un qui
aurait passé des années prisonnier, enfermé dans
une cellule, et qui, brusquement, se trouverait à
l'air libre, regardant avec étonnement et sans comprendre, et sans savoir qu'en faire, les gens, les
arbres), écoutant le lent bruissement, la palpita-
tion (les troncs droits, immobiles, les branches
immobiles) des milliers de feuilles du bouquet
d'arbres, au bas de la colline, miroitant, frissonnant dans un froissement continu, frais, qui n'a
jamais cessé d'exister, imperturbable, et elle, là,
étrangère, c'est-à-dire comme si la lumière, le
chuintement continu du vent dans les feuilles, l'air
lui-même, elle en était séparée comme par une plaque de verre, quoiqu'elle pût s'y sentir au centre
même (mais à la façon d'un plongeur sous sa cloche), l'assourdissant pépiement des moineaux dans
la touffe de bambous l'entourant pour ainsi dire
sans l'atteindre, de sorte que la pierre heurtant le
mur sembla tinter, rebondir dans un éclatement de
verre brisé, le chat détalant (ou plutôt disparaissant, comme volatilisé, absorbé par l'air, comme
ces objets ou ces animaux qu'escamote un presti-
digitateur : l'instant d'avant encore tapi, ramassé

sur la crête du mur, la tête rentrée dans les épaules,
immobile au point de paraître irréel parmi les
zébrures et les moucheteures du soleil, la fixant de
ses yeux jaunes, couards et sauvages, et l'instant
d'après — *le temps de se baisser et de se relever,
la pierre dans la main* — plus rien à la place
que les pastilles de soleil jouant à travers les
feuilles), et jetant quand même la pierre, puis une
autre, puis encore une autre, sans prendre même
le temps de regarder, la main tremblant de rage,
s'écorchant les doigts aux pierres, aux ronces, lan-
çant sans viser, au jugé, au bruit (celui probablement des pierres même qu'elle jetait, roulant derrière le mur dans les feuilles sèches du fossé), puis
restant là, haletante (mais pas à cause du mouvement, pas du fait d'avoir ramassé et jeté les pier-
des : de colère, de honte, pensant : « Qu'est-ce qui
me prend ? Qu'est-ce qui m'arrive ? Qu'est-ce
que... ») tandis qu'à l'extérieur de la cloche, par
delà la paroi de verre reformée, les petites feuilles
continuaient à se balancer, indifférentes, lointai-
nes, oscillant dans la lumière déclinante comme si
ce n'était pas l'air, l'imperceptible souffle du soir,
qui les agitait, mais une sorte de vie secrète, exi-
geante, impérieuse, comme ce qui forçait les insectes à tournoyer sur place, suspendus, emmêlant
sans fin, sans but, les invisibles trajectoires de
leurs vols, leur nuage suspendu, immobile, obsti-

né, chacune de ses particules en perpétuel mouvement, claires, dorées au-devant du fond de verdure,
puis (le même nuage, ou un autre) se détachant
en sombre sur le ciel pâlissant dans la trouée entre
les roseaux où elle marchait maintenant, n'attendant pas, quand elle vit l'auto déboucher au tournant, ralentir, qu'il vînt à elle : franchissant le
mur écroulé, s'avançant sans souci d'être vue, non
pas à sa rencontre — arrivant à l'auto au moment
où il refermait la portière — mais pour le devan-
cer : continuant sans s'arrêter, disant seulement :
« Viens », sans presque le regarder ni desserrer les
lèvres, continuant sans se retourner (pas dans un
état d'agitation, non, ne marchant pas tellement
vite non plus, marchant, simplement, comme peut
marcher dans un chemin quelqu'un qui se dirige
sans précipitation mais sans traîner vers un endroit
déterminé ou quelque chose de précis), le nuage
suspendu d'insectes tournoyants semblant reculer,
se déplacer au-devant d'elle au fur et à mesure, et
lui, derrière elle, la suivant, disant quelque chose,
et elle s'arrêtant, tout à coup, se retournant, disant : « Quoi ? » et lui répétant, et elle : « Demain ?
Tu t'es arrangé pour... », les sourcils froncés, comme si elle cherchait à comprendre, à se rappeler de
quoi il essayait de lui parler, ce qu'il essayait de lui
communiquer (et, en fait, le sachant, mais séparée
aussi de cela comme par une vitre, c'est-à-dire

comme de quelque chose dont elle aurait entendu
parler, qui la concernerait, et même faisait plus
que la concerner, faisait partie d'elle, mais comme
si on le lui avait raconté), disant à la fin : « A cause
de ce que je t'ai dit hier ? » et lui : « Oui », et
elle : « Demain ? » et lui : « Oui, j'ai pu... » et elle :
« Ah oui ? » et reprenant sa marche (un sentier
maintenant, leurs pieds se posant, s'enfonçant
silencieusement dans l'épaisse poussière, semblable
à de la cendre — en fait, la poussière et le sable
de la rivière mêlés — grise, impalpable, feutrée) ;
puis elle fut contre lui, les lèvres toujours serrées,
les traits durs, regardant le visage penché sur elle
avec une sorte d'attention éperdue (non pas tellement passionnée que concentrée, son propre visage
reflétant à ce moment moins une exaltation ou une
excitation quelconque que l'effort), semblant moins
essayer de découvrir quelque chose qui pouvait
se trouver — ou à quoi elle pouvait parvenir —
dans ou à travers ce qu'elle regardait (et apparemment sans le voir) que d'apprendre ce qu'elle voulait, ou espérait, y découvrir, et lui : « Qu'est-ce
qu'il y a ? » et elle : « Rien », et lui : « Mais qu'est-
ce qu'... », et elle : « Mais rien. Tais-toi, je t'en prie,
tais-toi... », pouvant voir sa propre image dédou-
blée, deux fois le contour sombre de sa tête se
détachant au-devant du crépuscule, non pas sur la
surface bombée et humide de chaque œil mais loin-

taine, minuscule, perdue tout au fond d'une pers-
pective déformée (comme ces petits personnages
enfermés au centre d'une de ces boules de verre, ou
apparaissant, intouchables, irréels, dans la sphère
de cristal de la voyante. « De sorte, pensa-t-elle,
que cette fois, même en étendant la main, il serait
impossible de les toucher... »), puis regardant (ou
plutôt ne regardant pas, les yeux toujours fixés sur
les doubles, minuscules et inaccessibles silhouettes, voyant, non par l'intermédiaire de ses yeux
mais au moyen de cette connaissance du corps qui
peut assister comme de l'extérieur à ses propres
mouvements) ses mains en train de débouton-
ner fiévreusement le col de la chemise d'homme,
assistant de la même façon (comme du dehors)
à ce qui se passa ensuite : les deux mains d'homme
velues, chaudes, carrées, lui attrapant brutalement
les poignets, les réunissant, les immobilisant, tous
les deux se tenant un moment face à face, un peu
haletants, et lui : « Mais qu'est-ce qu'il y a, qu'est-
ce que tu as ? » et elle : « Rien, que veux-tu que...
Rien ! », essayant de se dégager, de s'échapper, et
lui rattrapant, réunissant de nouveau les poignets
qu'il aurait pu tenir dans une seule de ses mains,
disant : « Allons », et elle : « Tu me fais mal, je
t'en prie, tu... », tous les deux luttant maintenant :
Louise pouvant, lui semblait-il, les voir, haletants, luttant dans l'odeur fade, écœurante, de

l'alcool répandu, parmi les éclats de verre brisé,
et non plus maintenant pour le flacon, c'est-à-dire
l'un contre l'autre (chacun aux prises non plus avec
une volonté adverse mais contre quelque chose en
dehors de, échappant à toute volonté : comme si
les deux corps emmêlés n'en formaient qu'un, une
seule et même personne qui aurait eu à faire face à
ce double adversaire : matière et esprit), essayant
de se relever, le vieil homme ayant à vaincre non
seulement le poids formidable de sa propre chair
mais encore l'obstacle, l'ennemi supplémentaire
que constituait, non la présence de Sabine (ce qui
n'eût été, après tout, qu'un poids de plus ou même,
en un autre moment, une aide, car maintenant elle
s'efforçait aussi de se remettre debout ou plutôt
de les remettre tous deux debout), mais la force
obscure qui commandait à ce corps, lui imprimait
des mouvements incohérents et le plus souvent
contraires (non qu'elle essayât de s'opposer à lui
mais parce qu'elle se trouvait agir en quelque sorte
à la façon de ces lutteurs qui au lieu de foncer
contre leur adversaire emploient la puissance de
celui-ci en la retournant contre lui, c'est-à-dire que,
par l'effet de ce manque d'appréciation des distan-
ces ou de l'effort où nous met l'ivresse, chacun de
ses gestes en vue d'aider le vieil homme dépassait
son objectif), et alors, quand il fut enfin parvenu à s'agenouiller puis à lever un genou, elle,

déjà à demi relevée, se penchant, le saisissant tant
bien que mal sous les aisselles et tirant à elle de
toutes ses forces au moment même où, s'appuyant
d'une main au rebord de la baignoire et de l'autre
sur sa cuisse ployée, bandant ses muscles, il entre-
prenait de se hisser, un instant en déséquilibre, tous
deux partant alors, comme catapultés, à la ren-
verse, traversant (les deux corps inclinés à qua-
rante-cinq degrés) la moitié de la salle de bains
dans une gesticulation frénétique de bras et de
mains battant l'air à la recherche de quelque chose
à quoi se raccrocher, et s'écroulant, tombant de
nouveau, pour la seconde fois, entraînant au passage porte-serviette et chaise dans un fracas, une
cascade de bruits se répercutant, démesurés, dans
le silence nocturne, quelque chose rebondissant
encore, roulant sur le carrelage, puis tintant une
dernière fois — et après cela le silence, non pas
refluant mais pour ainsi dire s'abattant tout d'une
masse, semblant tout à coup quelque chose d'absolu, d'écrasant (comme une tonne de silence) et
de total, jusqu'à ce que (à la façon d'une source
s'infiltrant, se frayant insidieusement un passage
sous un éboulis de rochers) le minuscule, multiple
et vaste crépitement de la pluie parvienne de nouveau (et maintenant, presque plus de la pluie :
une bruine, les invisibles gouttelettes comme suspendues dans le noir, immobiles, tandis que la

campagne ruisselante tout entière semblait monter, s'élever lentement d'un mouvement continu,
majestueux, comme si la terre endormie et pâmée
se gonflait, se soulevait à la rencontre du ciel, de
la pluie fertile, se mélangeant en de secrètes, interminables noces), Louise restant un moment sans
rien entendre d'autre que ce noir, humide et omniprésent murmure, l'écoulement du temps noir
seulement ponctué de loin en loin par la chute
espacée des gouttes d'eau glissant, se détachant
du chéneau (tout à l'heure dégorgeant à pleine
ouverture) et venant s'écraser avec une régularité
de métronome sur le gravillon, puis une porte
s'ouvrit, et elle put l'entendre, ou plutôt la deviner :
se déplaçant silencieusement dans le couloir (la
garde, la boscotte) avec cette propriété en quelque
sorte surnaturelle qu'elle semblait avoir reçue en
partage — en même temps sans doute que sa bosse
— d'être là, d'apparaître (telle ces elfes, ces gnomes), comme fonctionnellement attirée, attitrée,
comme l'inévitable, bénévole et souriant auxi-
liaire de toute agonie et de tout désastre, le bruit
monumental et cyclopéen du râle parvenant maintenant par la porte restée ouverte, emplissant le
couloir, tandis qu'elle frappait, disait : « Est-ce que
vous avez besoin de quelque... J'ai entendu, j'ai cru
entendre, je... », puis le silence de nouveau, la pluie
infinie, le râle, puis enfin la voix du vieil homme

disant : « Non. Ce n'est rien. J'ai glissé. Ce n'est
rien. Merci », les pas (l'imperceptible et menu trottinement) reparcourant alors le couloir en sens
inverse, la porte se refermant, enfermant de nouveau le râle, et de nouveau plus rien que la pluie
silencieuse et vaste (la pluie du Seigneur, recouvrant, enveloppant lentement la terre ténébreuse et
fertile), et au bout d'un moment encore la voix de
Sabine s'élevant, lui parvenant, disant : « Si je...
Si tu pouvais... », mais s'éteignant, retombant avant
d'avoir eu la force d'achever, faible, à peine audible, semblant parvenir de très loin, et non pas tellement parce qu'elle parlait maintenant, selon toute
apparence, de la chambre (Louise se demandant
comment ils étaient arrivés à franchir la largeur
de la salle de bains — soit qu'ayant renoncé à se
remettre debout, ils aient progressé par reptation,
ou plus probablement, pensa-t-elle, à quatre pattes,
Sabine prenant d'autorité l'un des bras du vieil
homme, le passant autour de son cou, le soutenant
ainsi (à moins que ce ne fût le contraire) tous les
deux parvenant de cette façon, l'un appuyé sur
l'autre, jusqu'à la chambre —, soit qu'avant de
s'effondrer, luttant pendant ces quelques fractions
de seconde contre le déséquilibre qui les entraî-
nait, ils aient parcouru à une vitesse foudroyante,
tournoyant sur eux-mêmes et arrachant tout sur
leur passage, l'espace qui les séparait de la porte,

restant ensuite là à essayer de reprendre leur respiration pendant que la bossue alertée par le bruit
sortait dans le couloir, venait frapper à la porte
de la chambre, puis repartait), la voix de Sabine
donc, rendant un son bizarre, irréel, et Louise ne
sachant plus très bien elle-même à ce moment (se
demandant depuis quand — une éternité ou une
heure ? — elle se tenait là, raidie, silencieuse, en
face de sa propre image, son propre visage semblable à un petit masque figé, mort, dans lequel
les yeux fixes continuaient à l'espionner impitoya-
blement dans l'impitoyable lumière électrique), ne
sachant plus ce qui était réel ou pas, et Sabine,
sans doute en proie à ce désordre des sens et de
l'esprit au sein duquel toute notion de temps disparaît aussi, arrivée à ce point extrême situé immédiatement avant la perte de conscience et où tout
s'efface (c'est-à-dire se trouve rejeté dans un
arrière-fond obscur, vague, indéfini : comme si tout
ce qui était arrivé depuis le début de la soirée,
depuis qu'elle était entrée dans cette salle de bains
pour procéder à sa toilette de nuit, était déjà très
loin derrière, comme s'il n'y avait pas quelques
minutes mais déjà des années qu'il (Pierre) l'avait
surprise avec ce flacon de parfum (de cognac) aux
trois quarts vide dans la main, qu'ils s'étaient dis-
putés et avaient même lutté pour quelque chose
qu'elle ne se rappelait même plus maintenant, ne

parvenait plus à se rappeler), où tout s'efface hormis une ou deux lancinantes préoccupations, deux impératifs : l'un étant sans doute d'arriver jusqu'à ce lit, apparemment impossible à atteindre, hors de portée, tout là-bas, à l'autre bout de la chambre, dans laquelle il semblait flotter à la dérive, s'éloignant et se rapprochant, séparé d'elle par un vertigineux espace vide que, cramponnée à la commode, elle contemplait avec une sorte de désespoir, de tragique impuissance, jusqu'à ce que, se décidant, elle se lançât brusquement, les bras tendus en avant, partant en diagonale non vers lui (quoiqu'elle ne cessât de le regarder toujours avec la même convoitise désespérée) mais vers le fauteuil où elle s'écroula, à demi assommée par le bois du dossier, contemplant stupidement à quelques centimètres de son œil les taches floues du pimpant bouquet de roses trémières, de feuilles et de myosotis, le visage écrasé sur le coussin, son souffle rauque et déréglé allant et venant, la parcourant comme un vent sauvage, tandis qu'elle essayait de le calmer, essayant de se reprendre, de se rappeler ce second impératif, ce qu'elle savait qu'elle avait à faire (en même temps qu'atteindre le lit), qu'elle devait absolument faire (non pas à proprement dire un devoir, une obligation : mais ayant trait à quelque chose — non pas même quelqu'un : quelque chose — sans quoi, en dehors de quoi elle ne

pouvait ni exister ni vivre) puis, au fur et à mesure
que le dessin des taches se précisait, se fixait — la
trame même du tissu lui apparaissant maintenant,
nette, comme un second dessin, en léger relief
celui-là, sous les fleurs imprimées —, trouvant, se
souvenant, ou peut-être, dans des efforts qu'elle
faisait à présent pour réussir à s'asseoir, relevant
la tête, le découvrant (Pierre), debout contre cette
même commode non loin de la porte de la salle de
bains (et comment avait-il réussi à se relever, à se
hisser tout seul sur ses pieds ?) à laquelle elle
s'était elle-même cramponnée (se rappelait s'être
tenue) un instant (un siècle ?) plus tôt, et alors
le cri, la plainte : « Mais tu saignes ! Tu t'es
coupé, tu... Il faut... Je vais... » et se levant, chan-
celant, entreprenant de refaire en sens inverse le
chemin parcouru, pour aller chercher dans la phar-
macie ce qu'il lui fallait, le vieil homme sursautant, levant la main, criant : « Non ! Mais non !
Ce n'est rien, ce... Veux-tu... Reste où tu... », mais
elle continuant, ne l'écoutant, ne l'entendant sans
doute même pas, toujours mue sans doute, poussée
par cette obscure, impérieuse et indiscutable conscience de ce qu'elle devait absolument faire sous
peine, certainement, de voir son existence **tout**
entière perdre, du même coup, toute raison et toute
justification, le gros homme venant à sa rencontre, quoiqu'il ne bougeât pas, semblait-il, se tînt

toujours, le bras levé, la bouche s'ouvrant et se
refermant sur des sons incompréhensibles, et toujours appuyé contre cette même commode qui, elle
aussi, paraissait s'avancer vers elle, remplacée tout
à coup — sans qu'elle ait pourtant effectué aucun
changement de direction — par le lit situé contre
le panneau opposé, en train de s'éloigner au contraire à toute vitesse, puis la chambre entière
(tapis, fauteuils, cheminée, pendule) se relevant
d'un seul coup, exactement comme si elle était
peinte, avec ses meubles délicats et précieux, ses
délicats motifs de fleurs et son chatoyant tapis aux
roses délicats, sur une de ces maquettes de déco-
rateur : une simple feuille de papier basculant en
même temps que l'ombre énorme qui se penchait
maintenant au-dessus d'elle, Sabine pensant sans
doute dans un éclair : « Cette fois. Cette fois, il
va m'écraser ! », sa gorge émettant une sorte de
plainte, de bredouillis continu, finissant dans un
cri, un râle, lorsque les cent vingt kilos de viande
et d'os auxquels elle s'agrippait désespérément
s'abattirent sur elle, tous les deux vacillant, faisant quelques pas maladroits à la façon de deux
danseurs enlacés, tombant à la fin pour la troisième
fois, — Louise maintenant étendue dans l'herbe,
inerte, sans un mouvement, comme morte, pouvant voir au-dessus d'elle le ciel devenu semblable
à une plaque de verre au-devant de laquelle ou plu-

tôt sur laquelle semblaient peintes les petites
feuilles en forme de cœur, d'un vert presque noir
maintenant, dessinées avec précision, avec leurs
fines et délicates nervures ton sur ton, et, à présent, parfaitement immobiles elles aussi, les branches parfaitement immobiles, l'air immobile, tandis
que s'apaisait en elle par degrés ce tumulte, cette
rumeur : éprouvant cette sensation du nageur qui
remonte à la surface, traversant l'une après l'autre
les couches successives, de plus en plus lumineuses,
reprenant conscience de son poids, comme si la
terre sous elle se reconstituait, reprenait peu à peu
sa rude et dure consistance, pouvant percevoir,
incrustés dans son dos, chacun des brins d'herbe
écrasés, comme si elle pouvait voir (aux saillies de
son corps, aux omoplates, aux reins) les taches
jaune-vert sur sa robe claire, sentant l'odeur, la
senteur végétale, humide, la pénétrant, comme si
ce n'était pas de l'herbe foulée qu'elle s'exhalait
mais des profondeurs, du sein même de la terre,
pensant : « Voilà. Je suis morte », pensant : « C'est
bien. J'étais tellement fatiguée, tellement... », et,
de nouveau, cessant même de penser (juste le
temps, tandis que toute pensée — pas toute conscience : toute pensée, toute formulation — s'effa-
çait, s'abolissait, de se dire encore : « Et je suis
même trop fatiguée pour penser ! » — et peut-être,
dans un dernier éclair : « Et d'ailleurs, à quoi

bon ? »), mais peut-être même pas, cessant simplement, toujours étendue sans mouvement, écartelée,
avec, au centre d'elle, de son corps luisant doucement dans le crépuscule, cette tache, ce triangle
noir, sombre, sauvage et broussailleux, cette sorte
de végétation comme parasitaire, se nourrissant
de — et peut-être, comme on le dit des ongles, des
cheveux, continuant à pousser, à vivre, encore
longtemps après la mort — la chair lisse et blanche, et l'étroite bouche mauve pâle, semblable à un
délicat pétale froissé, une permanente, éternelle,
et inguérissable blessure, mais ne faisant pas un
geste pour se couvrir, ne pensant même plus : « Je
suis trop fatiguée », regardant l'ombre masculine
debout au-dessus d'elle, comme peinte aussi en
sombre (en vert-noir) sur le verre impénétrable du
ciel, et immobile elle aussi, tous les deux restant
ainsi plusieurs minutes peut-être, la silhouette
verticale découpée sur le crépuscule bougeant
à la fin, la flamme de l'allumette éclairant un instant un visage aussi étranger que son propre visage
(celui qui, dans la glace, n'avait cessé de l'espionner) quoique ce fût une bouche, un nez, un front
d'homme, mais avec ceci en commun : le même
regard en train de l'épier —, puis tout disparut,
tandis que la bouffée de fumée s'élevait en tournoyant sur elle-même, brune, se dissolvait lentement dans le ciel vert, la voix qui lui parvenait

maintenant semblant elle aussi venir de très loin
(comme de derrière une plaque de verre : « Seulement, pensa-t-elle de nouveau, non plus jaune
maintenant : vert. Et alors il a changé de couleur,
mais c'est tout... »), les paroles ne lui parvenant
même pas, ou du moins ne parvenant même pas à
se transformer (les mots, les signes verbaux et
sonores) en quelque phrase qui signifiât pour elle
autre chose qu'un bruit, un son, de sorte qu'elle ne
répondit pas, ne disant même pas : « Comment ?
Qu'est-ce que tu as dit ? », regardant les volutes de
fumée tournoyer et se dissoudre lentement l'une
après l'autre dans l'air immobile, étendue toujours
sans mouvement parmi l'herbe humide et piétinée
(prêtant l'oreille, croyant entendre autour d'elle, à
hauteur de sa tête, comme un imperceptible et
délicat murmure, le froissement menu, délicat, des
brins d'herbe aplatis, couchés, se décollant l'un
après l'autre, commençant à se relever par d'invisibles et brèves saccades), et à la fin le point rouge
de la cigarette jaillissant de la main, décrivant une
courbe, disparaissant dans l'herbe grise, et quelques secondes après — mais un peu plus loin que
l'endroit où elle avait cru le voir tomber — le serpent de fumée — gris bleu, maintenant qu'elle ne se
détachait plus vers le ciel — sourdant d'entre les
brins d'herbe, se convulsant au ras du sol, et lui :
« Mais enfin ! », et elle se taisant, l'oreille aux

aguets, écoutant la menue, l'imperceptible rumeur de l'herbe écrasée, et lui : « Mais qu'est-ce que tu as ? », et elle essayant de répondre cette fois, aucun son ne réussissant à franchir sa gorge, pensant une seconde fois : « Voilà. Je suis morte », et lui : « Mais enfin, mais qu'est-ce que tu as ? », et elle réussissant enfin (pensant : « Mais rien. Expliquer ? Expliquer quoi ? ») à faire passer le son à travers sa gorge, mais pas encore des paroles, se reprenant, s'appliquant, disant (mais toujours immobile, la tête toujours à la même place — pouvant sentir le creux, la forme moulée de son crâne dans la terre molle) : « Je ne sais pas. Rien », et lui : « Mais bon Dieu... » et elle : « Mais rien ! », et lui : « Bon Dieu ! » et elle se taisant, gisant toujours immobile, sous les branches, les feuilles immobiles, le dur ciel de verre, dans ce corps dont il lui semblait qu'il était maintenant aussi lourd que de la pierre, pensant seulement : « Mais je suis tellement fatiguée. Tous ces gens... S'il savait, s'il pouvait seulement imaginer... », entendant de nouveau la voix lui parvenir, à travers des murailles, des épaisseurs de verre, lointaine, disant : « Bon Dieu, mais alors il ne fallait pas. Pourquoi as-tu dit que... Pourquoi m'as-tu... », la voix cessant, n'achevant pas, et elle se taisant toujours, gisant toujours (comme si elle pouvait sentir la forme — le moule en creux — non seulement de son crâne

mais de son corps tout entier imprimé sur la terre),
la haute silhouette sombre hésitant, faisant quelques pas, revenant, disant encore : « Mais, bon
Dieu, qu'est-ce que... », disant : « Ecoute, à présent
il faut que je parte, je... », et elle : « Oui » et lui :
« Il faut que je parte. J'étais seulement venu pour
te dire... », et elle : « Je sais. Oui », et lui : « Alors :
demain ? » et elle : « Mais oui », et lui (et plus que
de la colère maintenant : une révolte, une supplication) : « C'est sûr ? » et elle : « Oui. Mais oui. Puisque je te dis oui, oui, oui ! » et lui : « Mais enfin
alors, pourquoi restes-tu comme ça, remue-toi, lève-
toi, tu pourrais... Est-ce que... », et elle : « Oui »,
et lui : « Maintenant, il faut que je... » et elle :
« Oui », et lui : « Bon, très bien, bon, ça va, bon »,
répétant : « Bon. Très bien. Alors bon... », puis faisant brusquement demi-tour, s'éloignant cette fois
à pas rapides, puis s'immobilisant, se retournant,
et elle toujours immobile dans la même position,
pensant : « Je suis morte », regardant au-dessus
d'elle le ciel, les feuilles immobiles, puis l'entendant se remettre de nouveau en marche, et peu
après le bruit étouffé des pas dans la poussière du
chemin, puis un caillou frappé du pied à toute
volée, sautant, rebondissant, allant se perdre quelque part dans le fossé, puis un peu plus tard encore
le bruit de l'auto démarrant, le moteur emballé,
rageur, puis décroissant, puis s'éteignant, et de

nouveau le silence, ses lèvres formant encore une
fois : « Oui », sachant maintenant qu'elle ne viendra pas, sachant qu'il sait qu'elle ne viendra pas,
qu'il ne viendra pas lui-même, sachant qu'elle le
savait déjà avant de venir, se demandant seulement
depuis combien de temps elle le sait, si elle ne l'a
pas toujours su, si tout cela n'a pas été qu'un mensonge, si tout cela même a existé, le sachant déjà,
pense-t-elle, tandis que toujours debout dans cette
salle de bains elle écoutait les derniers bruits lui
parvenir de l'autre côté de la cloison (un murmure
maintenant, à peine perceptible, très bas, comme
un bruit de sanglots, pouvant les voir, enfin parve-
nus à ce lit, le gros homme maintenant penché sur
elle (Sabine), disant : « Allons », s'affairant, se
mouvant avec cette lourde, pathétique et majestueuse difficulté, s'efforçant avec des gestes maladroits de la débarrasser de son kimono, de l'étoffe
aux éblouissants dessins, Sabine étendue maintenant, ses cheveux rouges épars, parmi les linges
brodés, le vieil homme ramenant le drap sur elle,
disant : « Allons », et, du lit, montant ce bruit — ou
plutôt ce silence — bizarre (des pleurs ?), le vieil
homme répétant : « Allons, voyons », et Sabine :
« Toutes ces femmes !... » et lui : « Allons ! » et
Sabine (la voix égale, lasse, désolée, même pas
outragée, même pas vengeresse) : « Toutes ces
putains !... », et après cela seulement le bruit silen-

cieux des pleurs, paisibles, discrets, comme la
monotone, paisible et imperceptible rumeur de
la pluie, le vieil homme disant encore de temps à
autre : « Allons. Voyons. Allons... »), puis Louise
bougea, s'étira, se retourna sur le ventre : couchée
maintenant de tout son long sur le sol, adhérant
au sol, enfonçant, enfouissant son visage dans
l'herbe fraîche, comme pour l'y imprimer, respirant longuement l'odeur puissante et âcre d'herbe
et de terre mêlées (mais pas les larmes : les yeux
fermés, secs), respirant simplement, s'emplissant
tout entière de l'odeur végétale et pure, puis se
relâchant, s'abandonnant, toujours allongée sur le
ventre, mais la tête tournée sur le côté, pouvant
maintenant sentir s'imprimer dans sa joue les croi-
sillons d'herbe écrasée, et, devant ses yeux, le pré
s'étendant, au ras de son visage, l'herbe multiple
et folle se détachant comme des coups de pinceau
à l'encre de Chine sur le ciel en train de se déco-
lorer, et sur l'un d'eux (dessiné, lui aussi, ou plutôt
condensé par un de ces pinceaux de soie, oriental
et subtil) un insecte, à peu près de la grosseur
d'une tête d'épingle, compliqué, hérissé (à la façon
de ces taches d'encre écrasées dans une feuille pliée
en deux), perché sur ses hautes pattes multiples,
la carapace rayée de fines stries vertes, ses minuscules et délicates antennes s'affairant au-devant de
lui tandis qu'il s'arrêtait, hésitait, repartait, repre-

nait sa patiente ascension, le brin d'herbe s'incli-
nant peu à peu, imperceptiblement, sous le poids
imperceptible — ou peut-être une illusion, car il
ne bougea pas, ne frémit même pas quand l'insecte
disparut : la carapace, les durs élytres s'ouvrant
brusquement, laissant jaillir les délicates et transparentes ailes couleur d'herbe pâle, Louise relevant les yeux, essayant de le suivre, le perdant parmi le nuage monotone de moucherons toujours suspendu, tourbillonnant inlassablement, au-devant du
ciel, rose maintenant, et sur lequel, entre les branches, elle pouvait voir se détacher la masse sombre
de la maison, là-bas, en haut de la colline, s'obs-
curcissant par degrés, les fenêtres pas encore allu-
mées pourtant, puis l'entrée s'éclairant, Louise
pouvant voir (deviner) un instant la silhouette
massive, difforme, finissant de gravir lourdement
les dernières marches du perron, s'arrêtant un
moment pour souffler (l'imaginant assis jusque-
là dans le kiosque obscur, ne travaillant plus
depuis un moment, les feuilles blanches couvertes
de la fine écriture serrée éparses devant lui sur
la table, vaguement phosphorescentes dans l'ombre, les lignes parallèles de mots mis bout à bout
devenant de plus en plus indistinctes, s'estompant,
se confondant, jusqu'à ce qu'elles ne soient plus
que de vagues stries où il est même impossible de
discerner les lettres, les mots, les séparations

entre les mots, puis les séparations entre les
lignes, les stries elles-mêmes, la partie de la
feuille couverte par elles seulement un peu plus
grise, les feuilles elles-mêmes finissant par n'être
plus que d'indistinctes, vaines et insignifiantes
taches grises, et lui toujours assis devant cette
table, dans ce corps monstrueux, devant les feuillets inutiles et épars, écoutant sans doute comme
Louise les bruits de la campagne s'apaiser, s'éteindre l'un après l'autre, le silence se faisant brusquement plus absolu, plus définitif, Louise se rendant
compte alors que le bruit monotone et lointain, le
tap-tap du moteur de la pompe d'arrosage vient
enfin de s'arrêter, se rendant compte en même
temps qu'elle n'a pas cessé de l'entendre, n'avait
jamais cessé de l'entendre, le vieil homme assis
dans le kiosque tressaillant peut-être aussi, percevant aussi le silence soudain, total maintenant.
restant peut-être encore un instant immobile, là.
dans le fauteuil de rotin qui plie sous son poids,
guettant peut-être — prêtant l'oreille — une
remise en marche de la pompe, puis, à la fin,
bougeant, le fauteuil gémissant en même temps.
rassemblant — l'une de ses mains bandée — les
feuillets épars, cherchant à tâtons le stylo, le
fourrant dans sa poche, se levant péniblement et
se dirigeant enfin vers la maison), et, un peu
plus tard, une seconde fenêtre s'éclairant, puis une

autre, Louise pouvant suivre des yeux (deviner)
la silhouette claire (le point, pas plus gros, d'ici,
que, tout à l'heure, l'insecte) de la jeune bonne
faisant le tour du rez-de-chaussée pour fermer les
volets (avec sa démarche un peu alourdie, ce
ventre serré, boudiné, coupé en deux par les cor-
dons du tablier), et dans la maison, invisibles, les
deux vieilles femmes, là-bas, en train de mourir,
n'en finissant pas de mourir, l'une étendue, silencieuse, déjà réduite à rien, avec cette tête déjà
momifiée, ce corps soulevant à peine le drap, et
qui n'a jamais tenu un homme embrassé, ces flancs,
ce ventre qui n'a jamais enfanté, et ce visage maintenant semblable à un masque de carton, de parchemin, et qui n'a, de sa vie, jamais connu de
fards, et l'autre agonisant debout, droite, parée,
peinte de la tête aux pieds, comme une de ces
divinités, de ces idoles ou de ces prêtresses consa-
crées qui n'ont le droit de s'étendre que pour être
ensevelies, se mourant lentement sous ses fards,
ses robes extravagantes, ses teintures, et, sur sa
tête, cette chevelure semblable à un permanent
incendie, un permanent coucher de soleil, et qui,
elle, a non seulement enfanté, conçu, soupiré sous
le poids, les assauts, les furieux coups de boutoir
de l'homme, mais encore combien de fois gémi,
forniqué en esprit (et avec quelle sorte d'affreux,
de torturant, d'intolérable plaisir, son imagination

jalouse et exacerbée supposant, forgeant qui sait
quelles sortes de perversions, d'abominations et
de mensonges) par l'intermédiaire de ces innombrables conquêtes (vraies ou imaginaires) qu'elle
attribuait à celui auprès duquel elle avait passé sa
vie —, Louise cherchant maintenant sans y parvenir à raccorder les deux images : la vieille
femme, la vieille reine effondrée, ivre, bégayante,
au sein de la nuit, assise, affalée, sur cette chaise
où elle ne se maintenait qu'avec peine et (le jour
suivant, le lendemain même) de nouveau sur pied,
refardée, replâtrée, retapée, debout dans l'éblouissante lumière de midi, les yeux faits (verts), la
bouche soigneusement peinte, la chevelure orange
flamboyant de nouveau, disant : « Ecoutez, ma
chérie : vous pourriez, vous seriez gentille... »
(se penchant dans le glorieux poudroiement de
lumière, le sécateur à la main, coupant la tige
d'un dahlia, le tendant à Louise debout à côté
d'elle, une brassée de fleurs déjà au creux du
coude, disant :) « Quelle splendeur : ces couleurs... Quand je pense que si Julien n'avait pas
laissé geler les autres l'automne dernier quand
j'ai dit qu'il fallait, qu'il était temps de les déter-
rer, mais c'est pour cela comme pour le reste, je
suppose qu'il vaut mieux que je me taise, je n'arri-
verai jamais à m'expliquer comment Pierre s'en-
tête à garder un domestique qui... », mais s'inter-

rompant, se rapprochant, jetant un rapide coup
d'œil dans la direction du kiosque, disant : « J'ai
pensé que... », disant : « Voilà : vous savez, cette
porte entre nos deux salles de bains qu'on a con-
damnée je ne sais pourquoi... », s'écartant de nouveau, se penchant maintenant en avant, la main
ridée, ointe et chargée de bagues étincelant dans
le soleil, froide, diamantine et minérale parmi les
tendres tiges des fleurs, le sécateur claquant de
nouveau, Sabine se relevant, contemplant un moment la fleur aux éclatants, irréels et fragiles
dégradés dans sa main étincelante, puis, d'un
geste brusque, la tendant à Louise, disant négli-
gemment, avec cette impassibilité souveraine,
désolée, inaccessible : « Alors j'ai pensé que vous
pourriez me rendre un service, aider la pauvre
vieille femme que je suis... », et Louise : « Aider ?
Mais... » et Sabine : « Oh, bien peu de chose, rien :
je crois que vous avez seulement cette petite commode laquée maintenant devant la porte ? » et
Louise : « Oui », et elle : « Mais on pourrait la
mettre sur l'autre panneau. Non ? Après la baignoire ? Il me semble qu'il y a toute la place
pour... », et Louise : « Oui, si vous vou... », et
Sabine (ne l'écoutant même pas, regardant toujours les fleurs, se penchant parfois, atteignant
l'une d'elle, la contemplant, puis la relâchant, les
fleurs délicates, flamboyantes et éphémères se re-

dressant l'une après l'autre, continuant un moment
à se balancer dans le chatoiement de lumière)
disant, comme si elle parlait de quelque chose
qui ne la concernait pas, à quoi elle s'intéressait
incidemment, par acquit de conscience, par un de
ces soucis prosaïques de maîtresse de maison obligée de veiller à ce que le linge soit renouvelé en
temps utile et la cave de liqueurs toujours convenablement garnie : « Un flacon. Mais il ne peut
pas comprendre, il s'imagine... Alors que c'est seulement un peu de cognac pour m'endormir. Mais
il... Alors, vous comprenez : vous pourriez le garder, le mettre par exemple dans un tiroir de cette
petite commode et je pourrais passer d'un cabinet
de toilette à l'autre, vous comprenez, sous un prétexte ou un autre... », s'interrompant, contemplant
toujours les fleurs du même œil vide, navré,
effrayant, sous la paupière peinte, regardant sans
les voir l'éblouissante bigarrure du massif, le soleil,
les ombres mouvantes, disant : « J'ai parfois tellement de mal à m'endormir. Si vous saviez. C'est
quelquefois si difficile. J'ai tellement souffert,
j'ai ... », disant, toujours immobile, toujours sans
se retourner (et peut-être pas à Louise debout un
peu derrière elle : parlant à la radieuse lumière,
à la déchirante et périssable beauté des fleurs, de
l'été déclinant) : « Vous savez : je l'ai trouvée.
Enfin : une... », et Louise disant : « Trouvé quoi ? »,

ou se taisant peut-être, Sabine reprenant aussitôt,
répondant sans même attendre ou sans même
entendre la question : « Cette lettre. J'étais sûre...
Quand il a été blessé, en seize: cette infirmière.
Je le savais. Elle était dans un livre. Il l'avait
mise là. Il l'avait gardée. Il pensait sans doute
que jamais je n'aurais l'idée d'aller... », la voix
chavirant, fléchissant, s'éteignant (et quelque
chose comme un sanglot, quoiqu'elle se tînt toujours droite, raide, impavide, morte, les yeux fixés
sur le vide, et secs, comme au-delà des pleurs, de
la souffrance, comme si elle avait épuisé, dépassé
toute souffrance) — Louise sachant qu'elle savait
déjà cela aussi, tandis qu'elle se tenait accoudée à
la fenêtre ouverte sur la nuit, la lumière de la salle
de bains éteinte maintenant, et celle de la chambre
éteinte elle aussi, les ténèbres humides venant se
poser sur son visage, écoutant le silence d'après
la pluie, toutes les feuilles du jardin s'égouttant
dans le noir, le jardin pleurant, la campagne tout
entière pleurant (et peut-être, quelque part, le
chat de nouveau aux aguets, précautionneux,
hasardant avec une délicate indignation ses pattes
dans l'herbe mouillée, avec son regard électrique,
mystérieux, froid, sauvage, farouche, cruel et
couard), puis, très loin, le grondement imperceptible du train de Pau (le même train, la même ra-
me de wagons qui est passée à sept heures en sens

inverse, revenant maintenant) grandissant, s'assourdissant, ressurgissant, s'enflant, puis l'interminable grincement des freins s'amplifiant, strident, les tampons s'entrechoquant, puis, dans le silence, la voix éraillée de l'employé courant le long du quai, criant le nom de la station, puis quelques portières (à peine trois ou quatre) claquant, le train s'ébranlant, et peu après elle le vit glisser, les rectangles éclairés de ses fenêtres défilant dans les ténèbres de l'autre côté de la rivière, le bruit assourdissant maintenant, la locomotrice traînant une longue aigrette d'étincelles qui s'éteignit, tandis que les rectangles lumineux à la queue leu leu passaient maintenant, déchiquetés, derrière le rideau d'arbres, le pont métallique grondant encore, puis le bruit décroissant, s'amenuisant, s'éteignant, laissant de nouveau place au silence, à la paix nocturne où claquaient encore, de plus en plus espacées, les dernières gouttes, puis, quoiqu'il n'y eût pas un souffle, tout un arbre sans doute comme s'ébrouant, frissonnant, toutes ses feuilles déversant une brusque et ultime pluie, puis quelques gouttes encore, groupées, puis, un long moment après, une autre — puis plus rien.